D0674215

Édito

Devenir « positivement égoïste »

Tout le monde a en tête l'image de Gandhi parvenant, par la seule force d'une détermination calme et sereine, à faire plier ses opposants. Or, selon le Mahatma, cette force tranquille, loin de se limiter à quelques maîtres retirés à l'écart des agitations du monde, peut être aussi accessible pour tous ceux qui sont en prise directe avec le monde. La sérénité est une conquête personnelle de tous les jours, qui aboutit à la victoire de ceux qui savent rester « positivement égoïstes ».

Cet état d'esprit s'apprend, au quotidien. Nous vous en livrons les préceptes, jour après jour, afin que 2016 soit une porte ouverte sur un monde moins matérialiste et plus serein.

Belle année !

« La sérénité est une conquête. »

André Maurois

(1885-1967), écrivain français

VENDREDI 1ER JANVIER

Jour de l'An

SEMAINE 53

Reculez d'un pas.
TOUT
s'élargira spontanément.

SAMEDI 2 JANVIER	DIMANCHE 3 JANVIER
Saint Basile	*Sainte Geneviève*

« La vieillesse apporte une lucidité dont la jeunesse est bien incapable et une sérénité bien préférable à la passion. »

Marcel Jouhandeau

(1888-1979), écrivain français

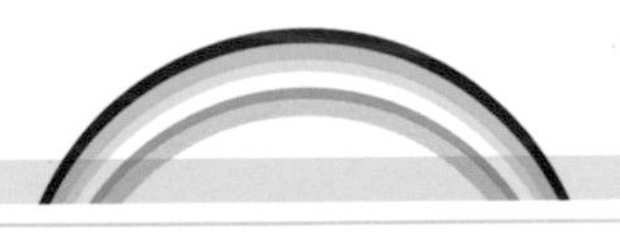

LUNDI 4 JANVIER

Saint Odilon

SEMAINE 1

« Gardez votre calme. La colère n'est pas un argument. »

Daniel Webster

(1782-1852), orateur et homme d'État américain

MARDI 5 JANVIER

Saint Édouard

SEMAINE 1

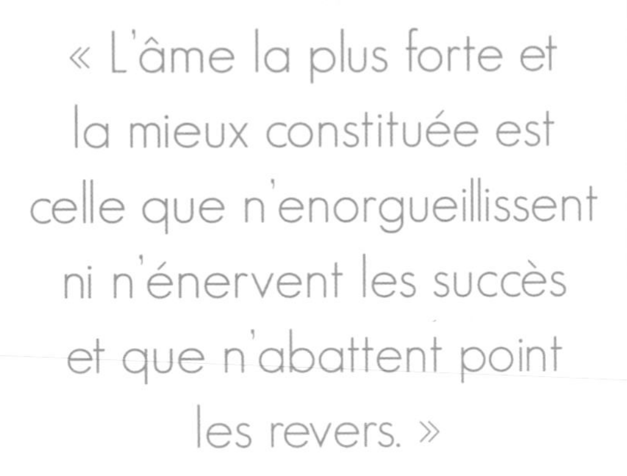

« L'âme la plus forte et la mieux constituée est celle que n'enorgueillissent ni n'énervent les succès et que n'abattent point les revers. »

Plutarque

(vers 50-125 ap. J.-C.),

historien et philosophe grec

MERCREDI 6 JANVIER

Saint Melaine / Épiphanie

SEMAINE 1

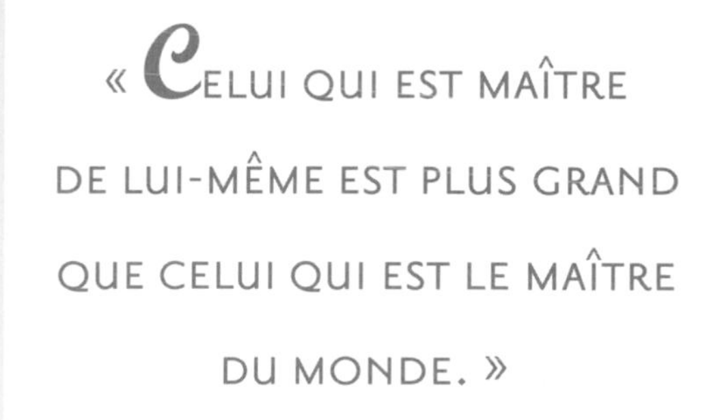

« Celui qui est maître de lui-même est plus grand que celui qui est le maître du monde. »

Bouddha

(VIe ou Ve siècle av. J.-C.),
fondateur du bouddhisme

JEUDI 7 JANVIER

Saint Raymond

SEMAINE 1

« Le travail de
la pensée ressemble
au forage d'un puits ;
l'eau est trouble
d'abord, puis elle
se clarifie. »

Proverbe mandarin

VENDREDI 8 JANVIER

Saint Lucien

SEMAINE 1

Faites le scribe !

Quand on est tourmentée, rien de tel que de tout noter pour arrêter le petit vélo qui nous trotte dans la tête. Décrivez ainsi l'enchaînement de situations qui a été la cause de votre agitation. Ne vous arrêtez d'écrire que lorsque vous aurez couché sur le papier tous vos griefs. En vous relisant, vous allez tout de suite identifier le moment où les choses ont dérapé.

SAMEDI 9 JANVIER	DIMANCHE 10 JANVIER
Sainte Alix	*Saint Guillaume*

« Les feuilles
Qu'on foule
Un train
Qui roule
La vie
S'écoule. »

Guillaume Apollinaire

(1880-1918), poète français
d'origine polonaise

LUNDI 11 JANVIER

Saint Paulin

SEMAINE 2

« L'HOMME EST UNE PRISON OÙ L'ÂME RESTE LIBRE. »

Victor Hugo

(1802-1885), écrivain et homme politique français

MARDI 12 JANVIER

Sainte Tatiana

SEMAINE 2

« La mer est aussi profonde dans le calme que dans la tempête. »

John Donne

(1572-1631), poète
et prédicateur anglais

MERCREDI 13 JANVIER

Sainte Yvette

SEMAINE 2

« QUAND TU TE COUCHES, N'AIE DANS TON CŒUR RIEN DE MAUVAIS À L'ÉGARD DE QUI QUE CE SOIT, NI RANCUNE, NI HAINE. »

Ibn'Arabi

(1165-1240), théologien et poète espagnol

JEUDI 14 JANVIER

Sainte Nina

SEMAINE 2

« La sérénité ne peut être atteinte que par un esprit désespéré et, pour être désespéré, il faut avoir beaucoup vécu et aimer encore le monde. »

Blaise Cendrars

(1887-1961), écrivain français

VENDREDI 15 JANVIER

Saint Rémi

SEMAINE 2

Portez un panier africain

Admirez l'allure de ces femmes africaines charriant leurs paniers juchés sur leur tête. Faites de même pour reprendre courage au bon moment. Exercez-vous en plaçant un livre en équilibre sur votre tête. Respirez profondément mais doucement pour ne pas faire tomber le livre. En contraignant votre respiration, vous avez retrouvé votre calme.

SAMEDI 16 JANVIER	DIMANCHE 17 JANVIER
Saint Marcel	*Sainte Roseline* ☽

« Être en paix avec soi-même est le plus sûr moyen de commencer à l'être avec les autres. »

Daniel Webster

(1782-1852), orateur et homme d'État américain

LUNDI 18 JANVIER

Sainte Prisca

SEMAINE 3

« L'idéal du calme est dans un chat assis. »

Jules Renard

(1864-1910), écrivain français

MARDI 19 JANVIER

Saint Marius

SEMAINE 3

« Marche avec des sandales jusqu'à ce que la sagesse te procure des souliers. »

Avicenne

(980-1037), philosophe et médecin iranien

MERCREDI 20 JANVIER

Saint Sébastien

SEMAINE 3

« ON PEUT APPELER HEUREUX CELUI QUI N'A NI DÉSIR, NI CRAINTE GRÂCE À LA RAISON. »

Sénèque

(vers 4 av. J.-C.-65 apr. J.-C.), philosophe et homme d'État romain

JEUDI 21 JANVIER

Sainte Agnès

SEMAINE 3

« La paix dans l'agnosticisme, la sérénité dans l'incroyance est un plus haut abri à l'usage d'esprits plus raffinés. »

Alexandra David-Néel

(1868-1969), exploratrice et orientaliste française

VENDREDI 22 JANVIER

Saint Vincent

SEMAINE 3

Jouez au flamant rose

POUR VOUS RELAXER INSTANTANÉMENT,

IMITEZ LE FLAMANT ROSE :

1. DEBOUT, JOIGNEZ LES MAINS AU NIVEAU DE LA POITRINE ET LEVEZ UNE JAMBE À 20 DEGRÉS. VOUS PERDEZ IMMÉDIATEMENT L'ÉQUILIBRE.
2. MAINTENANT, LES BRAS LE LONG DU CORPS, FIXEZ UN POINT AU SOL SITUÉ À DEUX MÈTRES DEVANT VOUS.
3. CONCENTREZ-VOUS SUR CE POINT PENDANT TRENTE SECONDES, PUIS LEVEZ VOTRE JAMBE EN LE FIXANT. VOUS RESTEZ EN ÉQUILIBRE. CET EXERCICE MONTRE QUE LA STABILITÉ DU CORPS DÉPEND DE L'ÉQUILIBRE DE NOTRE ÊTRE.

SAMEDI 23 JANVIER	DIMANCHE 24 JANVIER
Saint Barnard	*Saint François de Sales*

SEMAINE 3

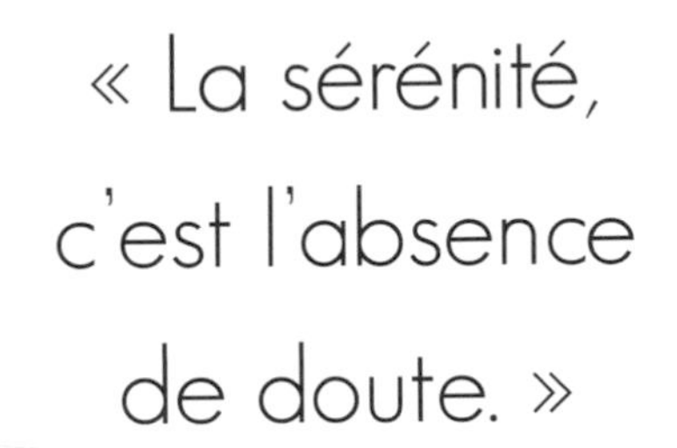

« La sérénité, c'est l'absence de doute. »

Jean-Michel Wyl

(1942-1980), écrivain québécois

LUNDI 25 JANVIER

Conversion de Saint Paul

SEMAINE 4

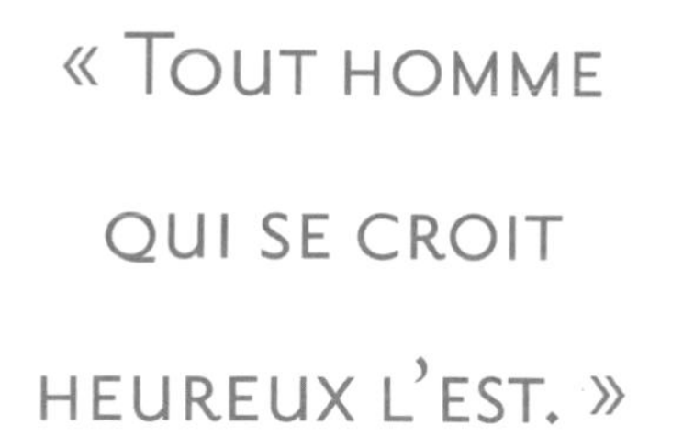

« Tout homme

qui se croit

heureux l'est. »

Christine de Suède

(1626-1689), reine de Suède

de 1632 à 1654

MARDI 26 JANVIER

Sainte Paule

SEMAINE 4

« Vivre dans une immense,
une orgueilleuse sérénité,
toujours au-delà... [...]
Et rester maître de ses quatre
vertus, le courage, la lucidité,
l'intuition, la solitude. »

Friedrich Nietzsche

(1844-1900), philosophe allemand

MERCREDI 27 JANVIER

Sainte Angèle

SEMAINE 4

« L'objectif de l'art n'est pas le déclenchement d'une sécrétion momentanée d'adrénaline, mais la construction, sur la durée d'une vie, d'un état d'émerveillement et de sérénité. »

Glenn Gould

(1932-1982), pianiste canadien

JEUDI 28 JANVIER

Saint Thomas d'Aquin

SEMAINE 4

« Soyez assis avec toute
la majesté inaltérable et
inébranlable de la montagne.
Laissez votre esprit s'élever,
prendre son essor et planer
dans le ciel. »

Sogyal Rinpoché

(né en 1947), lama tibétain

VENDREDI 29 JANVIER

Saint Gildas

SEMAINE 4

Explorez votre paradis secret

Retrouvez, dans vos souvenirs,
un lieu symbole de détente,
de bonheur et de paix. Quand l'angoisse
survient, isolez-vous et fermez les yeux.
Entrez dans votre jardin secret. Celui que
personne ne pourra jamais vous prendre.
Laissez-vous envahir par les images.
De cette petite évasion renaîtra le calme
dans votre esprit.

SAMEDI 30 JANVIER	DIMANCHE 31 JANVIER
Sainte Martine	*Sainte Marcelle*

« Si tu te contentes,
en ta tâche présente,
d'agir conformément à la nature,
et, en ce que tu dis et ce que tu fais
entendre, de parler selon l'héroïque
vérité, tu vivras heureux.
Et il n'y a personne qui puisse
t'en empêcher. »

Marc Aurèle
(121 - 180), empereur romain
et philosophe stoïcien

LUNDI 1ER FÉVRIER

Sainte Ella

SEMAINE 5

« Ce que nous appelons "bonheur" consiste dans l'harmonie et la sérénité, dans la conscience d'un but, dans une orientation positive, convaincue et décidée de l'esprit, bref, dans la paix de l'âme. »

Thomas Mann

(1875-1955), écrivain allemand

MARDI 2 FÉVRIER

Saint Théophane / Chandeleur

SEMAINE 5

« LA PAUVRETÉ PEUT ELLE-MÊME, AIDÉE PAR DES GOÛTS SIMPLES, SE MUER EN RICHESSE. »

Sénèque

(vers 4 av. J.-C.-65 apr. J.-C.),
philosophe et homme d'État romain

MERCREDI 3 FÉVRIER

Saint Blaise

SEMAINE 5

« Ne faire sa cour
à personne, ni attendre
de quelqu'un qu'il vous fasse
la sienne : douce situation,
âge d'or, état de l'homme
le plus naturel. »

Jean de la Bruyère

(1645-1696), écrivain français

JEUDI 4 FÉVRIER

Sainte Véronique

SEMAINE 5

« C'est magnanimité que supporter avec calme le manque de tact. »

Démocrite

(460-370 av. J.-C.), philosophe grec

VENDREDI 5 FÉVRIER

Sainte Agathe

Soyez bien entourée

Veillez à ce que votre compagnie ait un effet apaisant sur vous. Fréquentez des gens sereins.

SAMEDI 6 FÉVRIER	DIMANCHE 7 FÉVRIER
Saint Gaston	*Sainte Eugénie*

« Celui qui veut sauver sa vie la perdra. Celui qui consent à la perdre la sauvera. »

Évangile selon saint Marc

LUNDI 8 FÉVRIER

Sainte Jacqueline 🌝 / Nouvel An chinois (année du singe)

SEMAINE 6

« La rose est sans pourquoi
Elle fleurit parce qu'elle fleurit
Elle ne se soucie pas d'elle-même
Elle ne cherche pas à savoir
si on la voit. »

Angelus Silesius

(1624-1677), poète mystique allemand

MARDI 9 FÉVRIER

Sainte Apolline / Mardi gras

SEMAINE 6

« Nous ne profitons guère de notre vie, nous laissons inachevées dans les crépuscules d'été ou les nuits précoces d'hiver les heures où il nous avait semblé qu'eût pu pourtant être enfermé un peu de paix ou de plaisir. »

Marcel Proust

(1871-1922), écrivain français

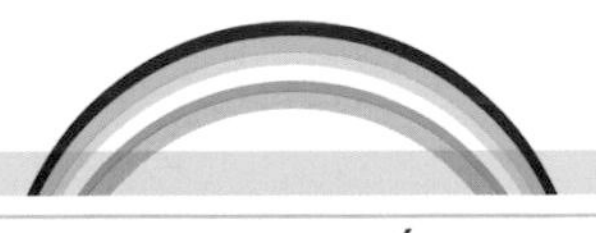

MERCREDI 10 FÉVRIER

Saint Arnaud / Cendres

SEMAINE 6

« Il faut des moments de calme pour observer sa vie ouvertement et honnêtement… Passer des moments dans la solitude donne à ton esprit l'opportunité de se renouveler et de créer de l'ordre. »

Susan Taylor

(née en 1946), journaliste américaine

JEUDI 11 FÉVRIER

N.-D. de Lourdes

SEMAINE 6

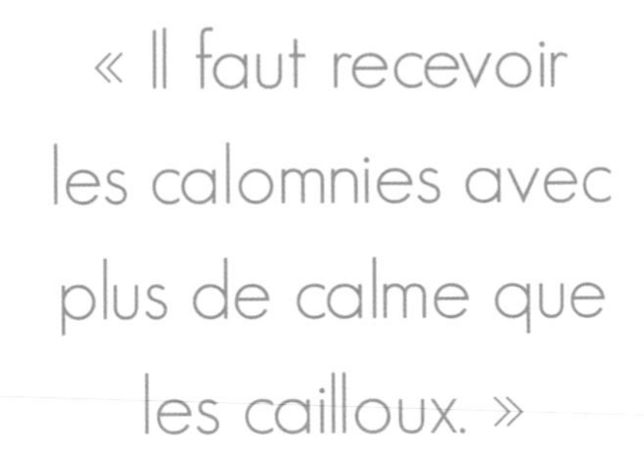

« Il faut recevoir
les calomnies avec
plus de calme que
les cailloux. »

Antisthène

(vers 444-365 av. J.-C.), philosophe grec
fondateur de l'école cynique

VENDREDI 12 FÉVRIER

Saint Félix

Caressez un chat

Passez le dos de votre doigt sous son menton. Captez son ronronnement. Respirez à l'unisson du félin. Bientôt, vous fermerez les yeux, comme lui.

SAMEDI 13 FÉVRIER	DIMANCHE 14 FÉVRIER
Sainte Béatrice	*Saint Valentin* *Fête des Amoureux* *1er dimanche de Carême*

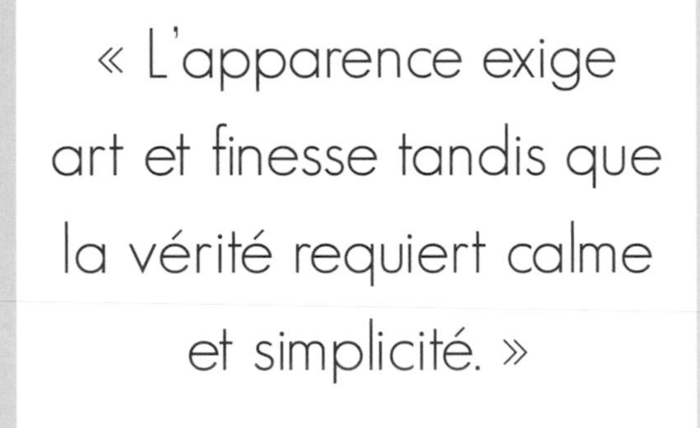

« L'apparence exige art et finesse tandis que la vérité requiert calme et simplicité. »

Emmanuel Kant

(1724-1804), philosophe allemand

LUNDI 15 FÉVRIER

Saint Claude

SEMAINE 7

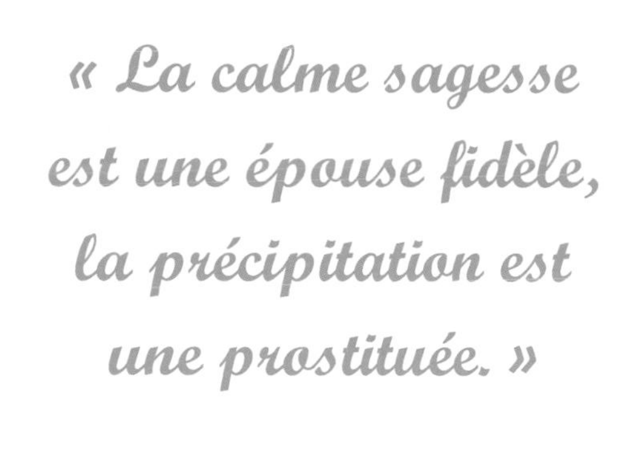

« La calme sagesse
est une épouse fidèle,
la précipitation est
une prostituée. »

Proverbe malais

MARDI 16 FÉVRIER

Sainte Julienne

SEMAINE 7

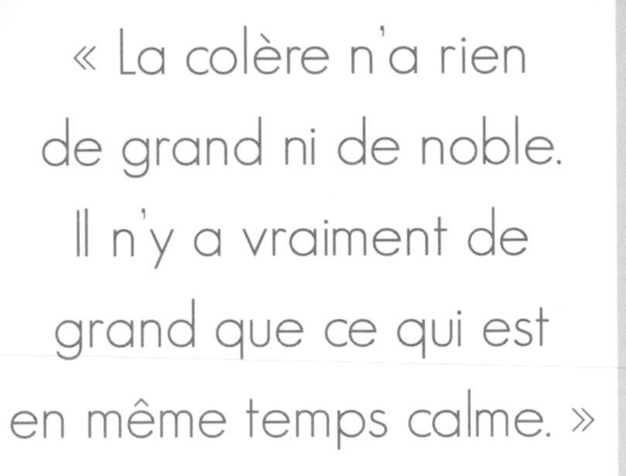

« La colère n'a rien de grand ni de noble. Il n'y a vraiment de grand que ce qui est en même temps calme. »

Sénèque

(vers 4 av. J.-C.-65 apr. J.-C.),
philosophe et homme d'État romain

MERCREDI 17 FÉVRIER

Saint Alexis

SEMAINE 7

« La modération des personnes heureuses vient du calme que la bonne fortune donne à leur humeur. »

François de La Rochefoucauld

(1613-1680), écrivain et homme politique français

JEUDI 18 FÉVRIER

Sainte Bernadette

SEMAINE 7

« La tempérance est
un arbre qui a pour racine
le contentement de peu
et pour fruit le calme
et la paix. »

Jean-Ferdinand Denis
(1798-1890), historien français

VENDREDI 19 FÉVRIER

Saint Gabin

SEMAINE 7

Mangez moins

C'est prouvé : la seule source de longévité avérée provient… de la réduction du bol alimentaire. Ne cédez pas aux substituts de repas. Préférez le régime « M-B », M-B, pour « moins bouffer ». Suivez l'ancien précepte : « le matin mange comme un roi, à midi comme un prince, le soir comme un mendiant. » En évitant les chocs d'insuline, le corps s'apaise, l'esprit gagne en sérénité.

SAMEDI 20 FÉVRIER	DIMANCHE 21 FÉVRIER
Sainte Aimée	*Saint Pierre-Damien*

« Le courage est un état de calme et de tranquillité en présence d'un danger, état rigoureusement pareil à celui où l'on se trouve quand il n'y a pas de danger. »

Alfred Jarry

(1873-1907), écrivain français

LUNDI 22 FÉVRIER

Sainte Isabelle ☺

SEMAINE 8

« Le plus haut degré de la sagesse humaine est de savoir plier son caractère aux circonstances et se faire un intérieur calme en dépit des orages extérieurs. »

Daniel Defoe

(vers 1660-1731), écrivain anglais

MARDI 23 FÉVRIER

Saint Lazare

SEMAINE 8

« La parole apaise la colère. »

Eschyle

(vers 525-456 av. J.-C.),

poète tragique grec

MERCREDI 24 FÉVRIER

Saint Modeste

SEMAINE 8

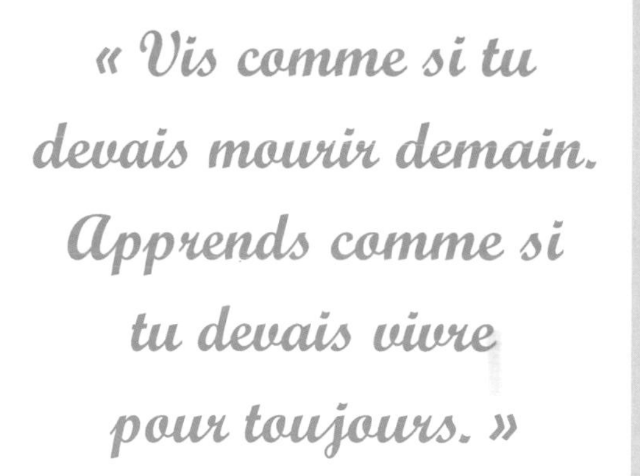

« Vis comme si tu devais mourir demain. Apprends comme si tu devais vivre pour toujours. »

Gandhi

(1869-1948), dirigeant politique et spirituel indien

JEUDI 25 FÉVRIER

Saint Roméo

SEMAINE 8

« La plus grande caractéristique de la civilisation orientale est de connaître le contentement, alors que celle de l'Occident est de ne pas le connaître. »

Hu Shi

(1891-1962), philosophe et écrivain chinois

VENDREDI 26 FÉVRIER

Saint Nestor

SEMAINE 8

Devenez un arbre !

Transformez-vous, l'espace d'un instant, en un arbre indéracinable. Déchaussez-vous. Posez vos deux pieds sur le sol. Pesez de tout votre poids sur la voûte plantaire. Pieds nus sur la moquette, le parquet, dans l'herbe ou sur le sable, une sensation apaisante vous envahit. Prendre le temps de « s'enraciner », c'est aussi reprendre pied dans la réalité.

SAMEDI 27 FÉVRIER	DIMANCHE 28 FÉVRIER
Sainte Honorine	*Saint Romain*

« Savoir sourire :
quelle force d'apaisement,
force de douceur, de calme,
force de rayonnement ! »

Guy de Larigaudie

(1908-1940), écrivain
et explorateur français

LUNDI 29 FÉVRIER

Saint Auguste

SEMAINE 9

« L'APAISEMENT RÉSIDE EN CHACUN DE NOUS. »

Tenzin Gyatso

(né en 1935), XIVe dalaï-lama

MARDI 1ER MARS

Saint Aubin

SEMAINE 9

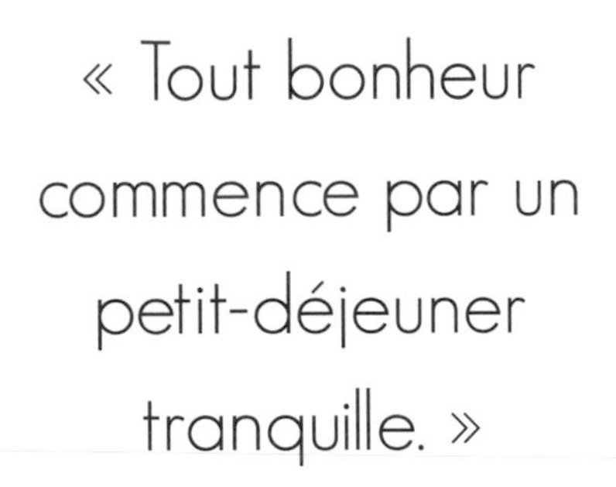

« Tout bonheur commence par un petit-déjeuner tranquille. »

William Somerset Maugham

(1874-1965), écrivain britannique

MERCREDI 2 MARS

Saint Charles le Bon

SEMAINE 9

« Le rire

et le sommeil

sont les meilleurs

remèdes du monde. »

Proverbe irlandais

JEUDI 3 MARS

Saint Guénolé / Mi-Carême

SEMAINE 9

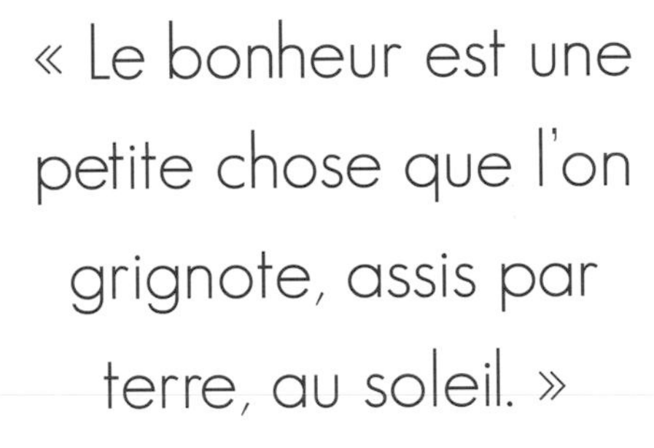
« Le bonheur est une petite chose que l'on grignote, assis par terre, au soleil. »

Jean Giraudoux

(1882-1944), écrivain et diplomate français

VENDREDI 4 MARS

Saint Casimir

SEMAINE 9

Le mantra So'Ham

Les Hindous utilisent chaque jour le pouvoir apaisant des sons. Le mantra « So'Ham » est une formule condensée basée sur un son double, qu'il faut prononcer une vingtaine de fois, en insistant sur le M bouche fermée. Il a pour effet de libérer une vibration dont l'effet relaxant est immédiat.

SAMEDI 5 MARS	DIMANCHE 6 MARS
Sainte Olive	*Sainte Colette* *Fête des Grands-Mères*

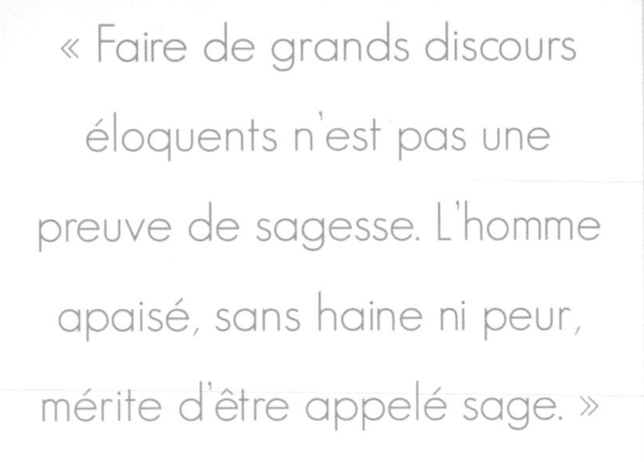

« Faire de grands discours éloquents n'est pas une preuve de sagesse. L'homme apaisé, sans haine ni peur, mérite d'être appelé sage. »

Bouddha

(VIe ou Ve s. av. J.-C.),

fondateur du bouddhisme

LUNDI 7 MARS

Sainte Félicité

SEMAINE 10

« Avec ou sans coq, demain, il fera jour. »

Proverbe chinois

MARDI 8 MARS

Saint Jean de Dieu

SEMAINE 10

« Le sage n'attend rien,
n'espère rien ; il évite donc
les déceptions et toute occasion
de murmure et de trouble. »

Alexandra David-Néel

(1868-1969), exploratrice
et orientaliste française

MERCREDI 9 MARS

Sainte Françoise

SEMAINE 10

« TANT QUE CELA EXISTE,
ET QUE JE PUIS Y ÊTRE
SENSIBLE – CE SOLEIL RADIEUX,
CE CIEL SANS NUAGES –
JE NE PEUX PAS ÊTRE TRISTE. »

Anne Frank

(1929-1945), israélite allemande,
auteure d'un journal sous
l'occupation nazie

JEUDI 10 MARS

Saint Vivien

SEMAINE 10

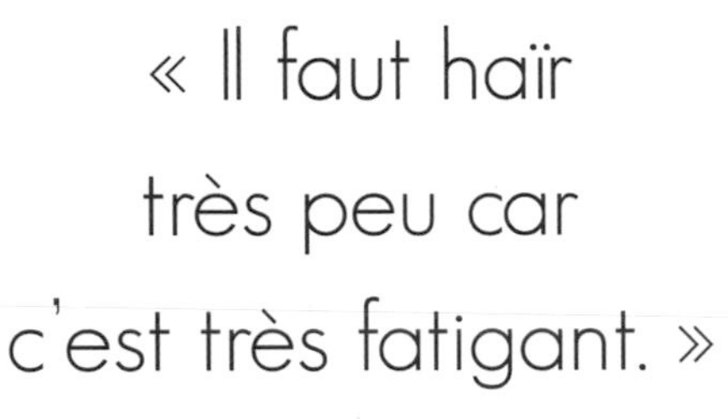

« Il faut haïr
très peu car
c'est très fatigant. »

Sarah Bernhardt

(1844-1923), actrice française

VENDREDI 11 MARS

Sainte Rosine

SEMAINE 10

Développez la cohérence cardiaque

L'UNE DES MÉTHODES LES PLUS EFFICACES POUR CHASSER LE STRESS EST L'EXERCICE DE LA COHÉRENCE CARDIAQUE : EN PASSANT CHAQUE JOUR 5 MINUTES À CONTRÔLER SA RESPIRATION, IL EST POSSIBLE DE RÉGULER SON ANXIÉTÉ ET MÊME, DANS CERTAINS CAS, DE TRAITER LA SURTENSION ARTÉRIELLE. POUR ATTEINDRE SIX INSPIRATIONS/ EXPIRATIONS PAR MINUTE, ON PEUT SE FAIRE AIDER DE CERTAINES APPLICATIONS GRATUITES À TÉLÉCHARGER SUR SON MOBILE.

SAMEDI 12 MARS	DIMANCHE 13 MARS
Sainte Justine	*Saint Rodrigue*

« Quelle est la voie du ciel ? Vaincre sans lutter, convaincre sans parler, faire venir sans appeler, réaliser dans la sérénité. »

Lao-Tseu

(VIe-Ve s. av. J.-C.),

philosophe taoïste chinois

LUNDI 14 MARS

Sainte Mathilde

SEMAINE 11

« PATIENCE : AVEC LE TEMPS, L'HERBE DEVIENT DU LAIT... »

Proverbe chinois

MARDI 15 MARS

Sainte Louise

SEMAINE 11

« Lorsque quelqu'un te met en colère, sache que c'est ton propre jugement qui te met en colère. »

Épictète

(v. 50-125 ap. J.-C.),

philosophe grec stoïcien

MERCREDI 16 MARS

Sainte Bénédicte

SEMAINE 11

« Tout a ses merveilles, l'obscurité et le silence aussi. »

Helen Keller

(1880-1968), écrivaine et activiste américaine aveugle et malentendante

JEUDI 17 MARS

Saint Patrice

SEMAINE 11

« La contemplation du temps est la clé de la vie humaine. »

Simone Weil

(1909-1943), philosophe

et écrivaine française

VENDREDI 18 MARS

Saint Cyrille

SEMAINE 11

Retrouvez la sérénité dans votre appartement

ÉVITEZ LES COULEURS BLEUE, PARME ET VIOLETTE DANS VOTRE INTÉRIEUR QUI, CONTRAIREMENT À UNE IDÉE REÇUE, NE SONT PAS APAISANTES ET NE FAVORISENT PAS LE BIEN-ÊTRE. PRÉFÉREZ DES COULEURS PASTEL OU BIEN DES GRANDES TOUCHES DE BLANC CASSÉ, BIEN PLUS LUMINEUSES QUE LE BLANC.

SAMEDI 19 MARS	DIMANCHE 20 MARS
Saint Joseph	*Saint Herbert* *Printemps / Rameaux*

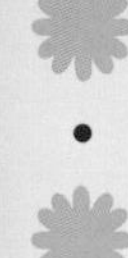

« Mon Dieu,
mon Dieu,
la vie est là
simple et tranquille. »

Paul Verlaine

(1844-1896), poète français

LUNDI 21 MARS

Sainte Clémence

SEMAINE 12

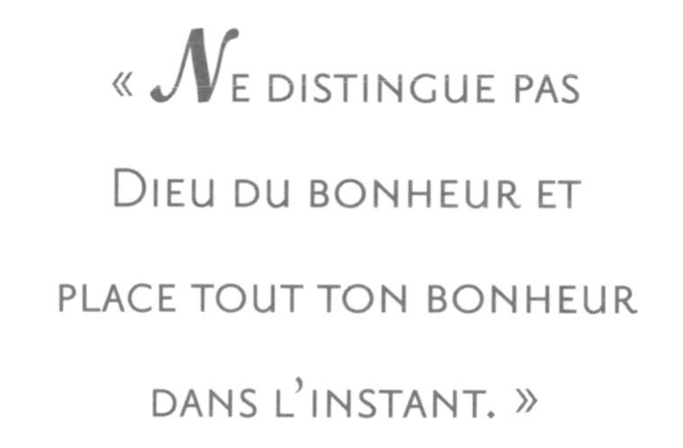

« NE DISTINGUE PAS DIEU DU BONHEUR ET PLACE TOUT TON BONHEUR DANS L'INSTANT. »

André Gide

(1869-1951), écrivain français

MARDI 22 MARS

Sainte Léa

SEMAINE 12

« Attendez avec humilité
et patience l'heure
de la naissance d'une
nouvelle clarté. »

Rainer Maria Rilke

(1875-1926), poète autrichien

MERCREDI 23 MARS

Saint Victorien ☺

SEMAINE 12

« Quand nous mangeons, quand nous buvons, quand nous marchons, nous pouvons toujours pratiquer le calme, la concentration, le regard profond, et un jour nous pouvons toucher la réalité ultime de l'être. »

Thich Nhat Hanh

(né en 1926), moine bouddhiste vietnamien, militant pour la paix

JEUDI 24 MARS

Sainte Catherine de Suède

SEMAINE 12

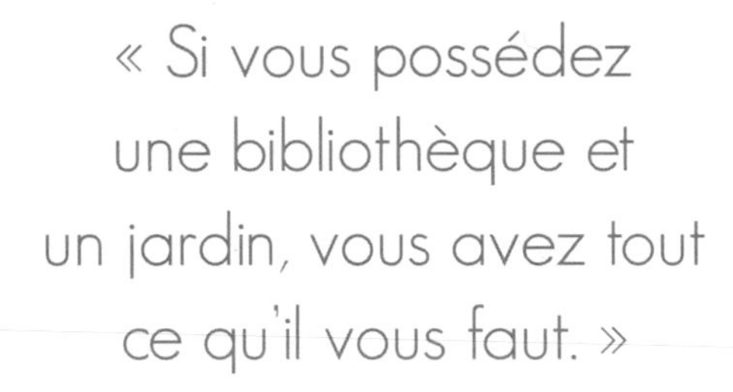

« Si vous possédez
une bibliothèque et
un jardin, vous avez tout
ce qu'il vous faut. »

Cicéron

(106-43 av. J-C.), homme politique
et philosophe romain

VENDREDI 25 MARS

Saint Humbert / Vendredi saint / Annonciation

SEMAINE 12

L'effet équilibrant du shiatsu

Souvent appelé acupuncture sans aiguilles, le massage japonais shiatsu est une discipline énergétique naturelle basée sur le toucher. Il consiste à effectuer des pressions sur certains points de son corps de façon à faciliter la libre circulation de l'énergie. Les plus grands sportifs l'utilisent après de violents efforts.

SAMEDI 26 MARS	DIMANCHE 27 MARS
Sainte Larissa	*Saint Habib* *Pâques*

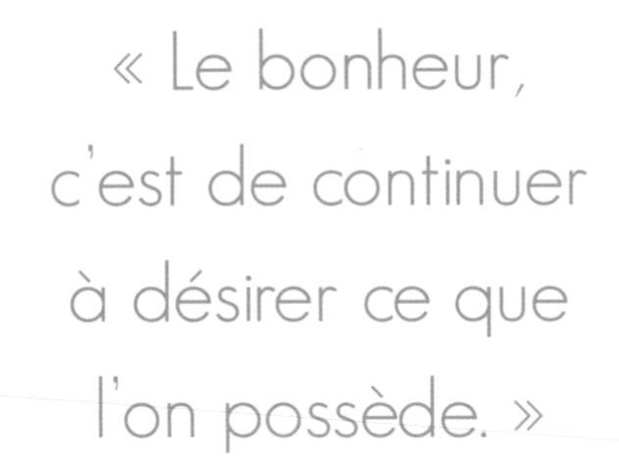

« Le bonheur, c'est de continuer à désirer ce que l'on possède. »

Saint Augustin

(354-430), philosophe et théologien chrétien

LUNDI 28 MARS

Saint Gontran / Lundi de Pâques

SEMAINE 13

« Il ne faut avoir aucun regret pour le passé, aucun remords pour le présent et une confiance inébranlable pour l'avenir. »

Jean Jaurès

(1859-1914), journaliste
et homme politique socialiste français

MARDI 29 MARS

Sainte Gwladys

SEMAINE 13

« La volonté est la corde
qui peut nous remonter
du gouffre de l'enfer et nous
hisser vers la sérénité.
Ce secours existe en chacun
de nous. Il suffit de croire en
l'existence de ses propres
ressources. »

Marie-Élise Sauvegrain

(née en 1944), auteure française

MERCREDI 30 MARS

Saint Amédée

SEMAINE 13

« MEILLEUR QUE MILLE MOTS PRIVÉS DE SENS EST UN SEUL MOT RAISONNABLE, QUI PEUT AMENER LE CALME CHEZ CELUI QUI L'ÉCOUTE. »

Bouddha

(VIe ou Ve s. av. J.-C.),

fondateur du bouddhisme

JEUDI 31 MARS

Saint Benjamin

SEMAINE 13

« L'être humain prend conscience de l'Univers qui l'entoure et s'émerveille de son ordre et de sa beauté. »

Hubert Reeves

(né en 1932), astrophysicien et écologiste québécois

VENDREDI 1ER AVRIL

Saint Hugues

SEMAINE 13

La voie du thé, véhicule de la sérénité

Inspirez-vous des Japonais qui ont fait de la dégustation du thé une véritable cérémonie, considérée comme une discipline spirituelle à part entière. Pour eux, ce rituel traditionnel permet de parvenir au « Wabi », cet état d'harmonie entre les éléments dans lequel on retrouve la sérénité dans une simplicité extrême.

SAMEDI 2 AVRIL	DIMANCHE 3 AVRIL
Sainte Sandrine	*Saint Richard*

« Quand tout est pur
et clair dans votre esprit,
personne ne peut vous
créer d'obstacles. »

Thubten Yeshe

(1935-1984), lama tibétain

LUNDI 4 AVRIL

Saint Isidore

SEMAINE 14

« QUELLES QUE SOIENT
LES CIRCONSTANCES,
JE PRATIQUE LA COMPASSION.
CELA M'APPORTE FORCE
INTÉRIEURE ET BONHEUR.
CELA ME DONNE LE SENTIMENT
QUE MA VIE EST UTILE. »

Tenzin Gyatso

(né en 1935), XIVe dalaï-lama

MARDI 5 AVRIL

Sainte Irène

SEMAINE 14

« Si vous voulez la paix, cessez le combat. Si vous voulez la paix de l'esprit, cessez de combattre avec vos pensées. »

Peter McWilliams

(1949-2000), écrivain américain

MERCREDI 6 AVRIL

Saint Marcellin

SEMAINE 14

« Quand je cesserai d'être,
Je désire devenir un pin
aux branches étalées,
Sur le plus haut sommet
du mont Bongrae,
Et quand la neige aura
recouvert le monde entier
Moi seul serai vert. »

Seong Sam-mun

(1418-1456), poète coréen

JEUDI 7 AVRIL

Saint Jean-Baptiste de la Salle

SEMAINE 14

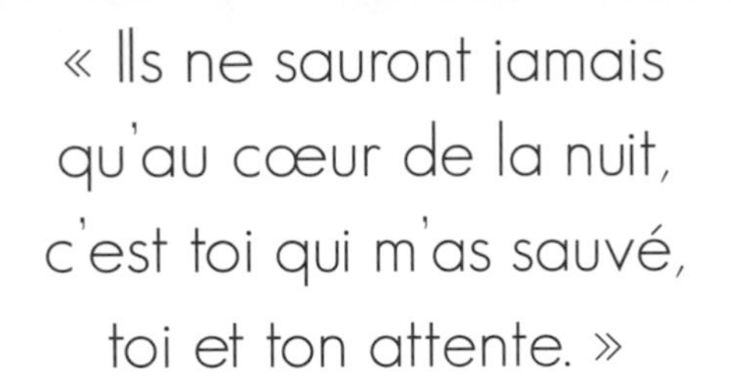

« Ils ne sauront jamais
qu'au cœur de la nuit,
c'est toi qui m'as sauvé,
toi et ton attente. »

Terry Anderson

(né en 1947), journaliste américain enlevé
au Liban en 1985 et détenu pendant
2 455 jours les chaînes aux pieds

VENDREDI 8 AVRIL

Sainte Julie

SEMAINE 14

Soyez cristal

Face à l'agression verbale, une solution : devenir transparente, comme le cristal. Laissez passer les mauvaises ondes. Tentez même de les voir traverser littéralement votre corps et votre esprit. Elles sont comme les photons, ne vous atteignent pas, ne vous polluent pas. Ne se fixent pas à l'intérieur de votre organisme.

SAMEDI 9 AVRIL	DIMANCHE 10 AVRIL
Saint Gautier	*Saint Fulbert*

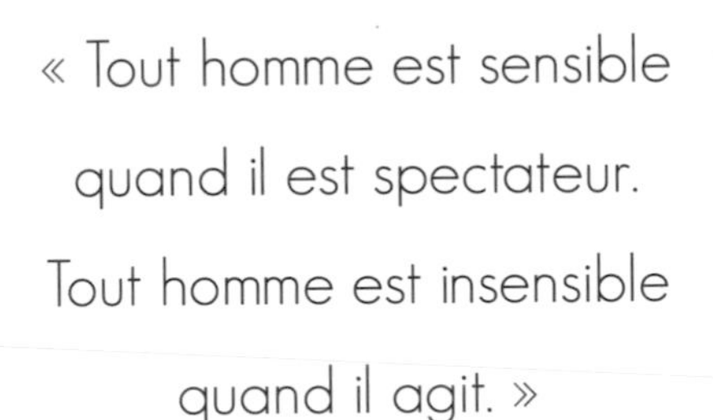

« Tout homme est sensible quand il est spectateur. Tout homme est insensible quand il agit. »

Alain

(1868-1951), philosophe français

LUNDI 11 AVRIL

Saint Stanislas

SEMAINE 15

« Le temps est comme un fleuve et un courant violent formé de toutes choses. Aussitôt qu'une chose est en vue, elle est entraînée ; une autre est-elle apportée, celle-là aussi va être emportée. Quand tu devrais vivre trois mille ans, souviens-toi pourtant que nul ne vit une vie autre que celle qu'il perd. Par là, la vie la plus longue revient à la vie la plus courte. »

Marc Aurèle

(121 - 180), empereur romain
et philosophe stoïcien

MARDI 12 AVRIL

Saint Jules

SEMAINE 15

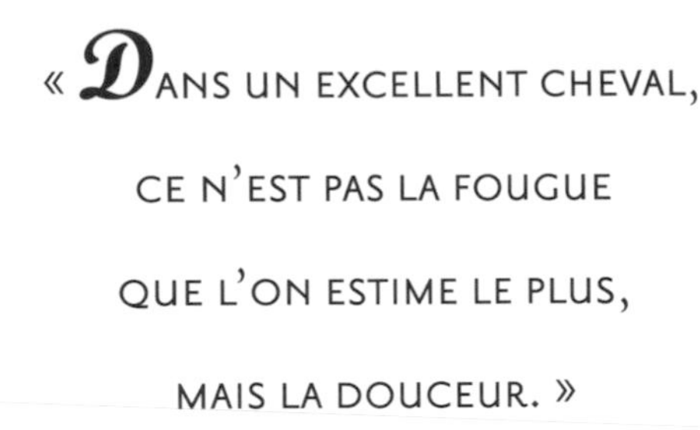

« DANS UN EXCELLENT CHEVAL,

CE N'EST PAS LA FOUGUE

QUE L'ON ESTIME LE PLUS,

MAIS LA DOUCEUR. »

Confucius

(vers 551-479 av. J.-C.),

philosophe chinois

MERCREDI 13 AVRIL

Sainte Ida

SEMAINE 15

« JE NE DÉSIRE QUE LA TRANQUILLITÉ ET LE REPOS, QUI SONT DES BIENS QUE LES PLUS PUISSANTS ROIS DE LA TERRE NE PEUVENT DONNER À CEUX QUI NE SAVENT LES PRENDRE D'EUX-MÊMES. »

René Descartes

(1596-1650), philosophe français

JEUDI 14 AVRIL

Saint Maxime

SEMAINE 15

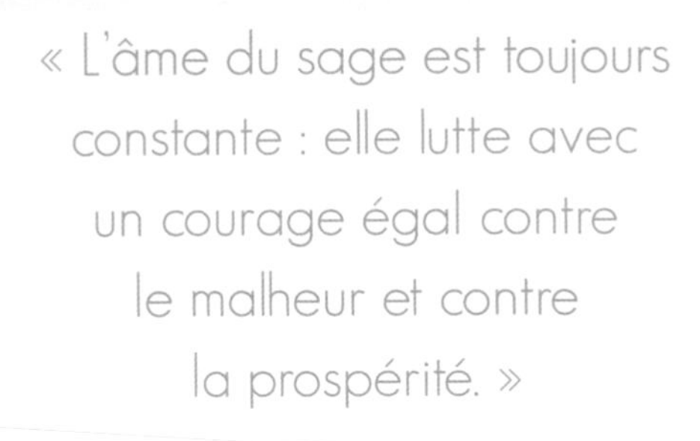

« L'âme du sage est toujours constante : elle lutte avec un courage égal contre le malheur et contre la prospérité. »

Théognis de Mégare

(VIe s. av. J.-C.), poète grec

VENDREDI 15 AVRIL

Saint Paterne

SEMAINE 15

Prenez du temps

Après une journée morne ou harassante, prenez dix minutes, avant de rentrer chez vous, que vous ne consacrerez qu'à vous-même. Pendant ce laps de temps hors du monde, récapitulez, en les nommant, les points positifs de votre journée, quand bien même elle vous aura semblé mauvaise. Vous rentrerez chez vous le cœur apaisé.

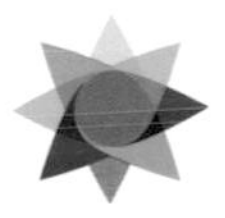

SAMEDI 16 AVRIL	DIMANCHE 17 AVRIL
Saint Benoît-Joseph	*Saint Anicet*

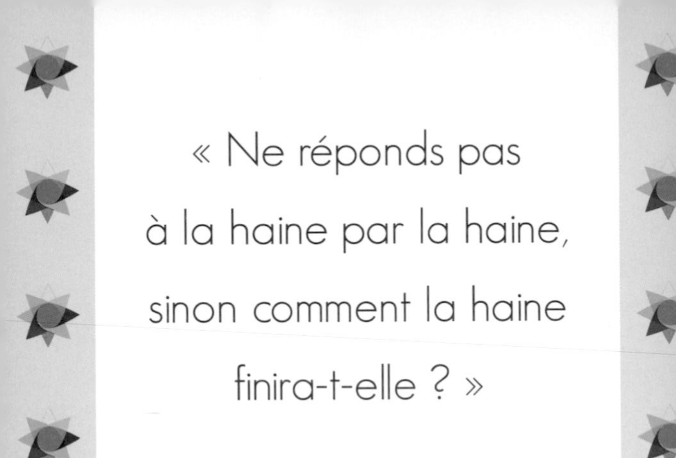

« Ne réponds pas
à la haine par la haine,
sinon comment la haine
finira-t-elle ? »

Précepte bouddhiste

LUNDI 18 AVRIL

Saint Parfait

SEMAINE 16

« L'HOMME HEUREUX EST CELUI POUR QUI IL N'Y A DE BON ET DE MAUVAIS QU'UNE ÂME BONNE OU MAUVAISE, QUI PRATIQUE LE BIEN, SE CONTENTE DE LA VERTU, QUI NE SE LAISSE PAS EXALTER NI BRISER PAR LES COUPS DE LA FORTUNE, QUI NE CONNAÎT PAS DE BIEN PLUS GRAND QUE CELUI QU'IL PEUT SE DONNER À LUI-MÊME, POUR QUI LA VRAIE VOLUPTÉ EST LE MÉPRIS DES VOLUPTÉS. »

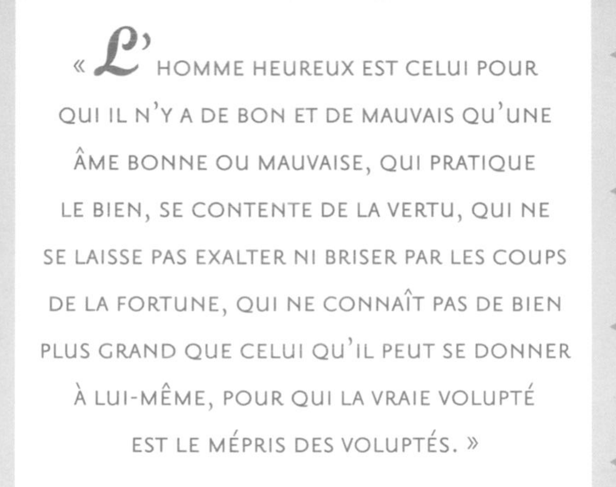

Sénèque

(vers 4 av. J.-C.-65 apr. J.-C.),
philosophe et homme d'État romain

MARDI 19 AVRIL

Sainte Emma

SEMAINE 16

« Nous allons au bord
des lacs pour y contempler
le reflet de notre sérénité.
Lorsque nous ne
sommes pas sereins,
nous n'y allons pas. »

Henry David Thoreau

(1817-1862), philosophe
et poète américain

MERCREDI 20 AVRIL

Sainte Odette

SEMAINE 16

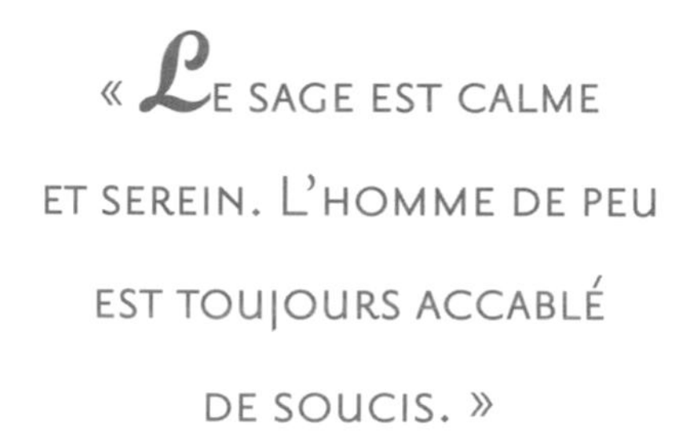

« Le sage est calme et serein. L'homme de peu est toujours accablé de soucis. »

Confucius

(vers 551-479 av. J.-C.),

philosophe chinois

JEUDI 21 AVRIL

Saint Anselme

SEMAINE 16

« La sérénité,
faite de résignation
et de curiosité
toujours vivante,
vient finalement
à tous. »

Italo Svevo

(1861 - 1928), écrivain italien

VENDREDI 22 AVRIL

Saint Alexandre

SEMAINE 16

Restez polie

Ne pensez pas que votre exaspération, quelle que soit son origine, peut vous dispenser de politesse. Au contraire, la politesse dont vous ferez preuve envers toutes les personnes que vous rencontrerez apportera autant de sérénité à vous qu'à ceux à qui vous la prodiguez.

SAMEDI 23 AVRIL	DIMANCHE 24 AVRIL
Saint Georges	*Saint Fidèle*

« Ô Nuit ! Que ton langage
est sublime pour moi. Lorsque,
seul et pensif, aussi calme
que toi, contemplant les soleils
dont ta robe est parée,
j'erre et médite en paix sous
ton ombre sacrée ! »

Camille Flammarion

(1842-1925), astronome français

LUNDI 25 AVRIL

Saint Marc

SEMAINE 17

« Le plus heureux des hommes est celui qui désire le moins le changement de son état. »

Marquise du Châtelet

(1706-1749), femme de lettres française

MARDI 26 AVRIL

Sainte Alida

SEMAINE 17

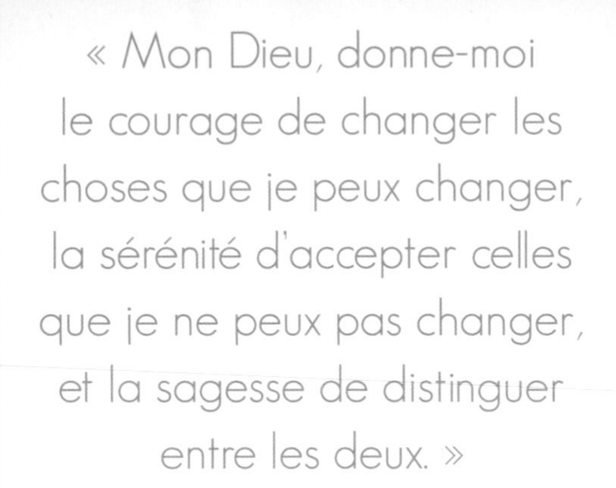

« Mon Dieu, donne-moi
le courage de changer les
choses que je peux changer,
la sérénité d'accepter celles
que je ne peux pas changer,
et la sagesse de distinguer
entre les deux. »

Marc Aurèle

(121-180), empereur romain
et philosophe stoïcien

MERCREDI 27 AVRIL

Sainte Zita

SEMAINE 17

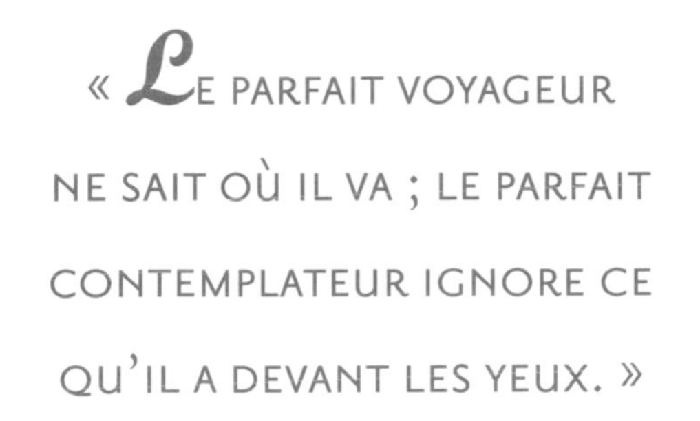

« Le parfait voyageur ne sait où il va ; le parfait contemplateur ignore ce qu'il a devant les yeux. »

Tchouang-tseu

(370-287 av. J-C.),

penseur chinois

JEUDI 28 AVRIL

Sainte Valérie

SEMAINE 17

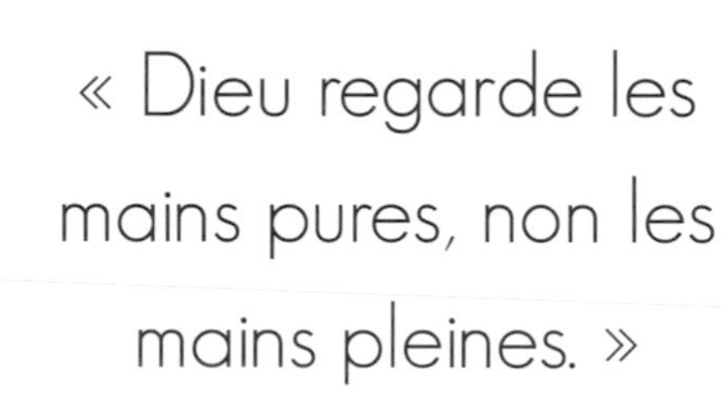

« Dieu regarde les mains pures, non les mains pleines. »

Proverbe latin médiéval

VENDREDI 29 AVRIL

Sainte Catherine de Sienne

SEMAINE 17

Soyez positive

On crée son propre malheur
par la manière de réagir de façon
négative, là où, précisément, le contraire
est la plupart du temps possible.
Il est en vérité plus difficile de conserver
son calme que de manifester son
mécontentement. Rester calme comporte
pourtant un bénéfice considérable :
on est rétribuée beaucoup plus largement
en maîtrisant sa colère qu'en cédant
à l'énervement.

SAMEDI 30 AVRIL	DIMANCHE 1ER MAI
Saint Robert	*Saint Jérémie* *Fête du Travail*

SEMAINE 17

« Si un joyau tombait
dans une fontaine, la plupart
des gens se jetteraient à l'eau
et la tourmenteraient jusqu'à
ce qu'elle devienne trop trouble
pour y trouver autre chose que des
cailloux. Le sage, lui, attendrait que
l'eau se calme pour permettre
au joyau de briller par lui-même. »

Yamada Koun

(1907-1989), maître zen japonais

LUNDI 2 MAI

Saint Boris

SEMAINE 18

« J'AIME LA TRANQUILLITÉ
PLUS QUE TOUTES LES CHOSES
DE CE MONDE. JE PERÇOIS
DANS LA QUIÉTUDE DES CHOSES
UN CHANT IMMENSE ET MUET. »

Pablo Neruda

(1904-1973), poète chilien

MARDI 3 MAI

Saints Philippe et Jacques

SEMAINE 18

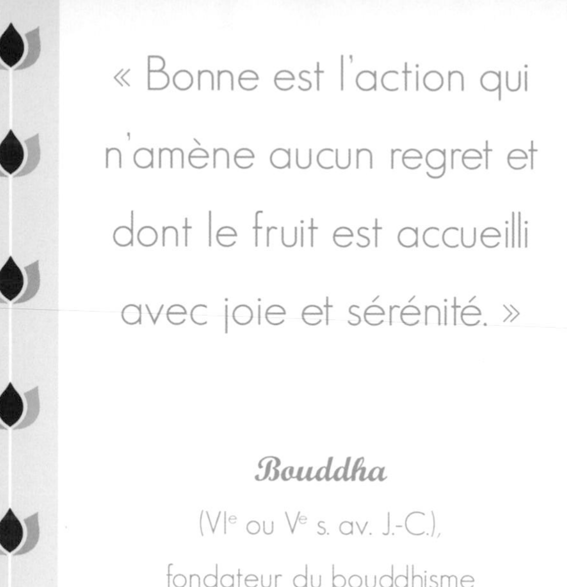

« Bonne est l'action qui n'amène aucun regret et dont le fruit est accueilli avec joie et sérénité. »

Bouddha

(VIe ou Ve s. av. J.-C.),

fondateur du bouddhisme

MERCREDI 4 MAI

Saint Sylvain

SEMAINE 18

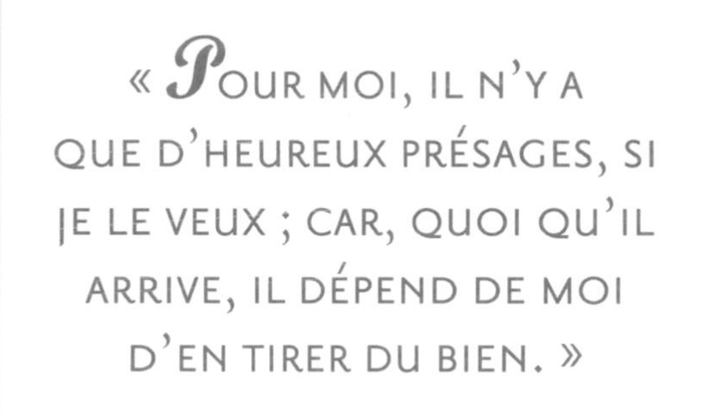

« Pour moi, il n'y a que d'heureux présages, si je le veux ; car, quoi qu'il arrive, il dépend de moi d'en tirer du bien. »

Épictète

(vers 50-125 ap. J.-C.),

philosophe grec stoïcien

JEUDI 5 MAI

Sainte Judith / Ascension

SEMAINE 18

« Quand tu t'imposes le silence, tu trouves des pensées ; quand tu te fais une loi de parler, tu ne trouves rien à dire. »

Stendhal

(1783-1842), écrivain français

VENDREDI 6 MAI

Sainte Prudence

SEMAINE 18

Ne faites plus jamais la queue !

Faites des temps morts de la vie quotidienne des épisodes de grande richesse. Si chacun s'accorde que piétiner dans une file d'attente est une source d'exaspération, peu savent transformer ce pensum en source de joie. Il suffit pourtant d'un livre pour patienter dans la sérénité. L'attente que l'on vous inflige vous semble désormais très courte !

SAMEDI 7 MAI	DIMANCHE 8 MAI
Sainte Gisèle	*Saint Désiré / Victoire de 1945 / Fête des Mères (Belgique & Canada)*

« La paix n'est pas quelque chose qui vient de l'extérieur. C'est quelque chose qui vient de l'intérieur. C'est quelque chose qui doit commencer au-dedans de nous-mêmes ; chacun a la responsabilité de faire croître la paix en lui afin que la paix demeure générale. »

Tenzin Gyatso

(né en 1935), XIVe dalaï-lama

LUNDI 9 MAI

Saint Pacôme

SEMAINE 19

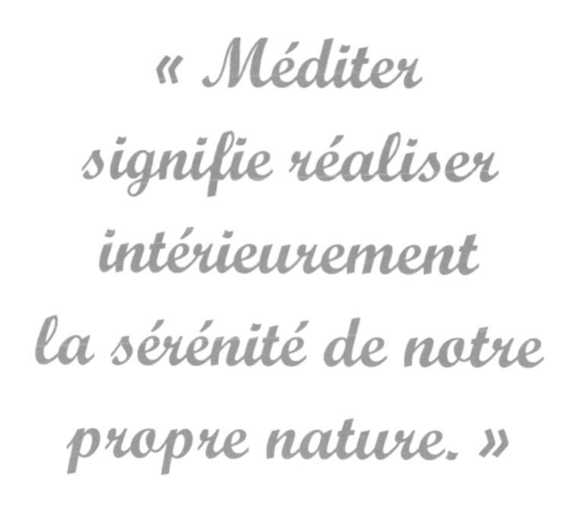

Huineng

(638-713), bouddhiste chinois

MARDI 10 MAI

Sainte Solange

SEMAINE 19

« La vérité, ce n'est point ce qui se démontre, c'est ce qui simplifie. »

Antoine de Saint-Exupéry

(1900-1944), aviateur et écrivain français

MERCREDI 11 MAI

Sainte Estelle

SEMAINE 19

« Il est des heures vides, creuses, qui portent en elles le destin. »

Stefan Zweig

(1881-1942), écrivain autrichien

JEUDI 12 MAI

Saint Achille

SEMAINE 19

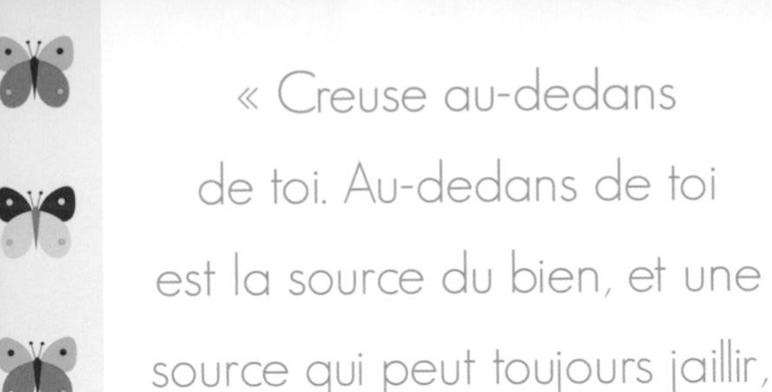

« Creuse au-dedans de toi. Au-dedans de toi est la source du bien, et une source qui peut toujours jaillir, si tu creuses toujours. »

Marc Aurèle

(121-180), empereur romain et philosophe stoïcien

VENDREDI 13 MAI

Saintes Rolande et Jeanne d'Arc

SEMAINE 19

Ne perdez plus rien… rendez-le

S'IL VOUS ARRIVE DE PERDRE UN OBJET AUQUEL VOUS TENIEZ, APPLIQUEZ LE PRÉCEPTE DES STOÏCIENS. NE DITES PAS : « JE L'AI PERDU ». DITES : « JE L'AI RENDU ». COMME SI VOUS L'AVIEZ EMPRUNTÉ. EN SE DÉFIANT DES ALÉAS DE LA VIE, VOUS PRENEZ PLAISIR À JOUIR DE CE QUE VOUS POSSÉDEZ, AU MOMENT OÙ VOUS LE POSSÉDEZ.

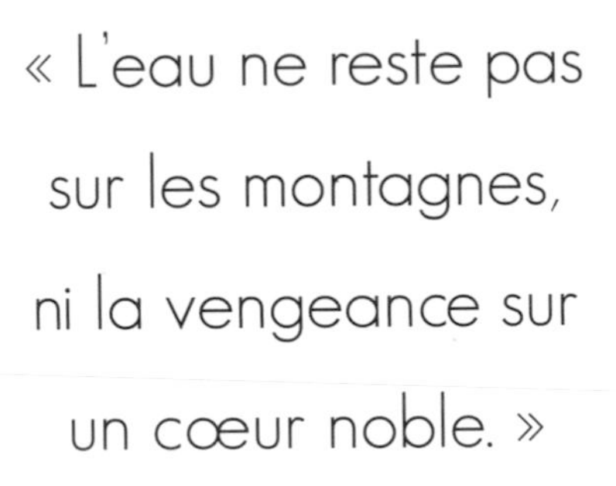

« L'eau ne reste pas
sur les montagnes,
ni la vengeance sur
un cœur noble. »

Sagesse chinoise

LUNDI 16 MAI

Saint Honoré / Lundi de Pentecôte

SEMAINE 20

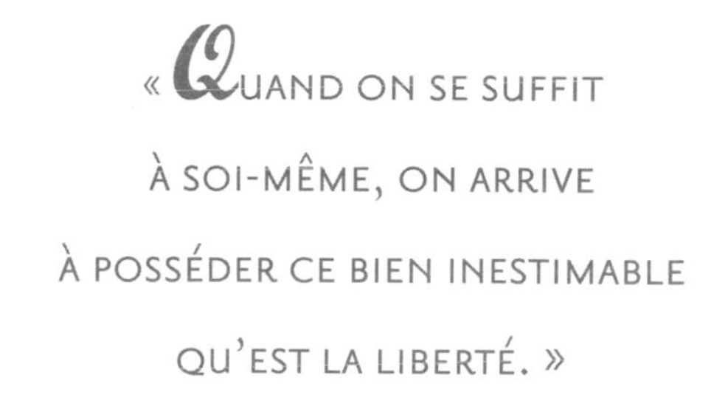

« Quand on se suffit à soi-même, on arrive à posséder ce bien inestimable qu'est la liberté. »

Épicure

(vers 341-270 av. J.-C.), philosophe grec et fondateur de l'épicurisme

MARDI 17 MAI

Saint Pascal

SEMAINE 20

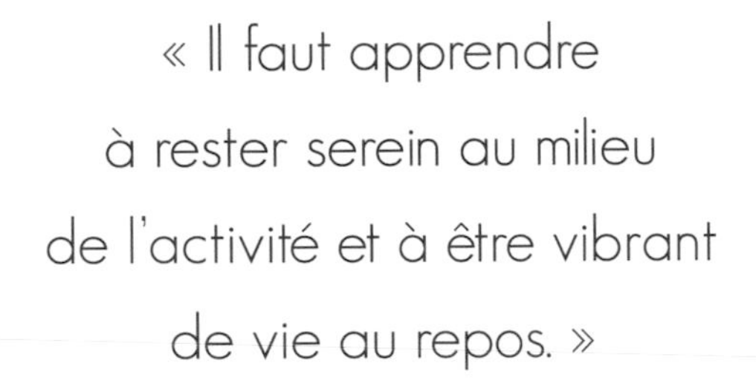

« Il faut apprendre
à rester serein au milieu
de l'activité et à être vibrant
de vie au repos. »

Gandhi

(1869-1948), dirigeant politique
et spirituel indien

MERCREDI 18 MAI

Saint Éric

SEMAINE 20

« L'ATTENTE DE CELUI

QUI ATTEND EST UNE PERLE

TRÈS BELLE ; DE QUELQUE

CÔTÉ QU'IL SE TOURNE,

IL AGIRA AVEC INTELLIGENCE

ET AVEC PRUDENCE. »

La Bible

JEUDI 19 MAI

Saint Yves

SEMAINE 20

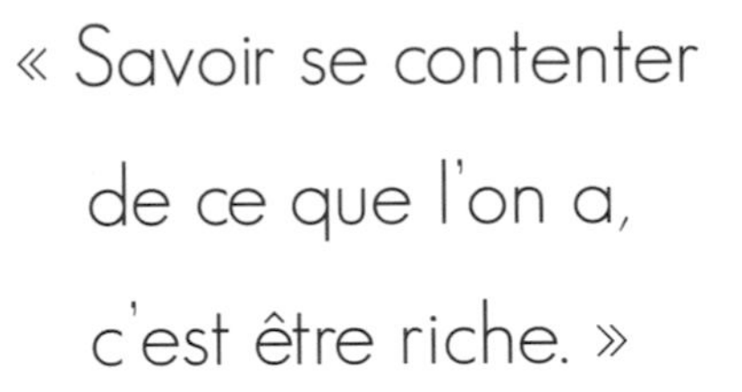

« Savoir se contenter de ce que l'on a, c'est être riche. »

Lao-Tseu

(VIe ou Ve s. av. J.-C.),

philosophe taoïste chinois

VENDREDI 20 MAI

Saint Bernardin

SEMAINE 20

Les bienfaits de l'eau

CONSIDÉREZ UN COURS D'EAU : SEULE UNE RIVIÈRE TRANQUILLE A SES RIVES FLEURIES. N'AVEZ-VOUS PAS BESOIN, VOUS AUSSI, DE RALENTIR LE COURS DE VOTRE VIE POUR LAISSER GERMER QUELQUES PROJETS ?

SAMEDI 21 MAI	DIMANCHE 22 MAI
Saint Constantin ☺	*Saint Émile* *Trinité*

SEMAINE 20

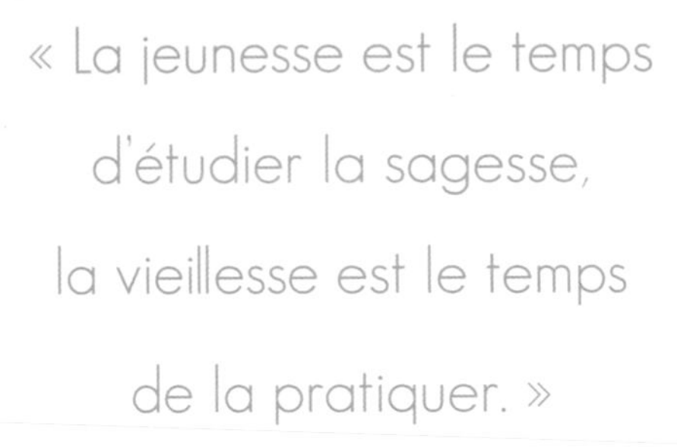

« La jeunesse est le temps
d'étudier la sagesse,
la vieillesse est le temps
de la pratiquer. »

Jean-Jacques Rousseau

(1712-1778), écrivain et philosophe genevois

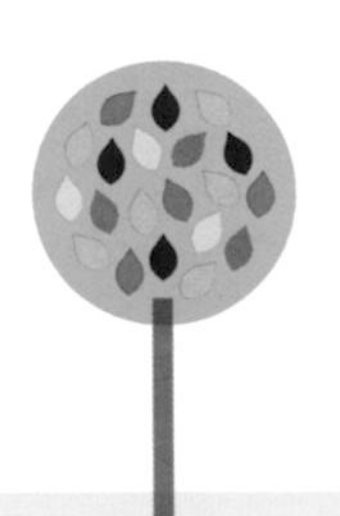

LUNDI 23 MAI

Saint Didier

SEMAINE 21

« Que fait celui qui renonce ?
Il aspire à un monde supérieur,
il veut voler plus haut, plus loin
que les hommes de l'affirmation ;
il rejette maintes choses qui
alourdiraient son vol et les sacrifie
à sa soif d'altitude. »

Friedrich Nietzsche

(1844-1900), philosophe allemand

MARDI 24 MAI

Saint Donatien

SEMAINE 21

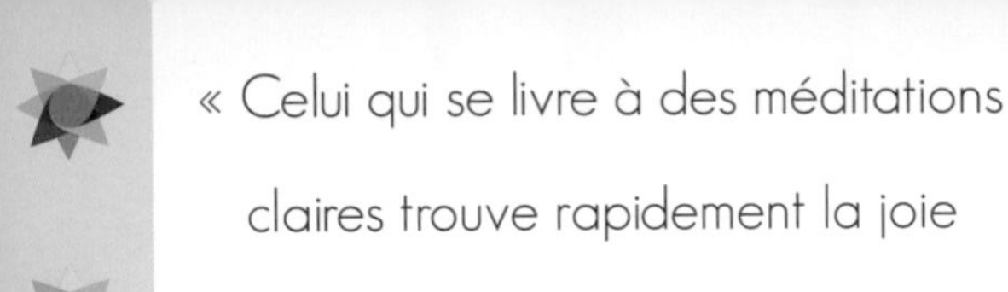

« Celui qui se livre à des méditations claires trouve rapidement la joie dans tout ce qui est bon. Il voit que les richesses et la beauté sont impermanentes et que la sagesse est le plus précieux des joyaux. »

Bouddha

(VIe ou Ve s. av. J.-C.),

fondateur du bouddhisme

MERCREDI 25 MAI

Sainte Sophie

SEMAINE 21

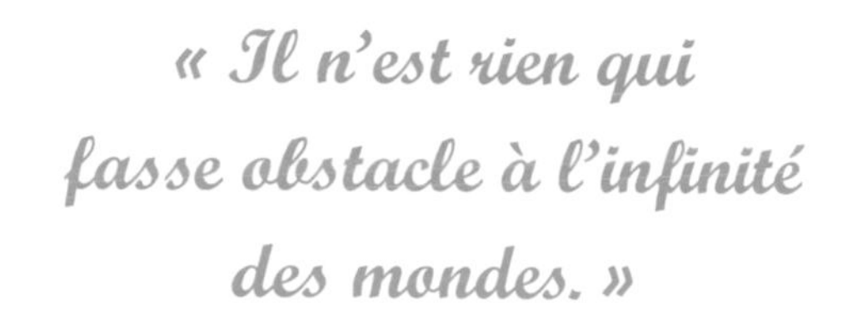

« Il n'est rien qui fasse obstacle à l'infinité des mondes. »

Épicure

(vers 341-270 av. J.-C.), philosophe grec
et fondateur de l'épicurisme

JEUDI 26 MAI

Saint Bérenger

SEMAINE 21

« La joie et l'espérance adoucissent les traits du visage ; ce qui répand sur le front une image de sérénité. »

Jacques-Bénigne Bossuet

(1627-1704), homme d'Église et écrivain français

VENDREDI 27 MAI

Saint Augustin de Cantorbéry

SEMAINE 21

Dire merci

Remercier est loin d'être un geste hypocrite ou obséquieux : un « merci » glissé avant toute conversation et au début d'une rencontre place celle-ci sous des auspices apaisés et développe l'empathie. L'Autre devient alors part de Soi, de sa vie, et la relation gagne en sérénité.

SAMEDI 28 MAI	DIMANCHE 29 MAI
Saint Germain	*Saint Aymar* *Fête des Mères* ☾

SEMAINE 21

« Qui peut dominer une colère passagère s'évite cent jours de misère. »

Proverbe chinois

LUNDI 30 MAI

Saint Ferdinand

SEMAINE 22

« Le vent souffle, la Terre tourne, pourquoi bougerais-je ? »

Luc Boussard

(né en 1946), traducteur et poète français

MARDI 31 MAI

Sainte Pétronille / Visitation

SEMAINE 22

« Il y a un moment pour tout et un temps pour chaque chose sous le Ciel. »

La Bible

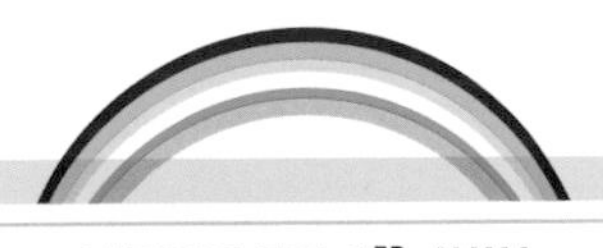

MERCREDI 1ER JUIN

Saint Justin

SEMAINE 22

« L'ÂGE VENU, J'AI COMPRIS LA SAGESSE
D'UN VIEUX PRÉCEPTE IRLANDAIS :
« Il faut vivre au bord de la mer ».
LA MER SOULAGE LES VIEILLES BLESSURES
ET STIMULE L'ESPRIT ; ELLE VIVIFIE LES
PASSIONS DE L'INTELLIGENCE
ET DE LA CHAIR, TOUT EN AMENANT L'ÂME
À TROUVER LA SÉRÉNITÉ. »

John Huston

(1906-1987), réalisateur américain

JEUDI 2 JUIN

Sainte Blandine

SEMAINE 22

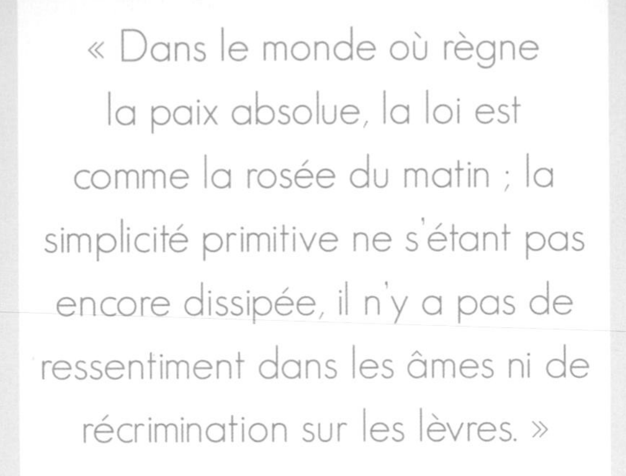

« Dans le monde où règne la paix absolue, la loi est comme la rosée du matin ; la simplicité primitive ne s'étant pas encore dissipée, il n'y a pas de ressentiment dans les âmes ni de récrimination sur les lèvres. »

Han Fei

(vers 280-233 av. J.-C.),

philosophe et légiste chinois

VENDREDI 3 JUIN

Saint Kévin

SEMAINE 22

Dégagez votre vue intérieure

Chez soi, il est important de voir dans les coins ! N'obstruez plus les angles de votre chambre ou de votre salon. Éliminez le désordre résiduel afin de dégager l'horizon de votre intérieur.

SAMEDI 4 JUIN	DIMANCHE 5 JUIN
Sainte Clotilde	*Saint Igor*

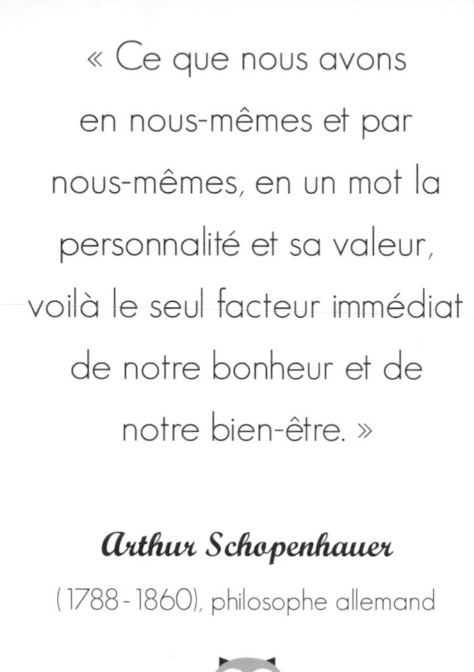

« Ce que nous avons
en nous-mêmes et par
nous-mêmes, en un mot la
personnalité et sa valeur,
voilà le seul facteur immédiat
de notre bonheur et de
notre bien-être. »

Arthur Schopenhauer

(1788-1860), philosophe allemand

LUNDI 6 JUIN

Saint Norbert

SEMAINE 23

*« Ne pas avoir faim,
ne pas avoir soif, ne pas avoir
froid ; celui qui dispose de cela, et
a l'espoir d'en disposer à l'avenir,
peut lutter comme il arrive,
et coulera des jours heureux. »*

Épicure

(v. 341-270 av. J.-C.), philosophe grec
et fondateur de l'épicurisme

MARDI 7 JUIN

Saint Gilbert

SEMAINE 23

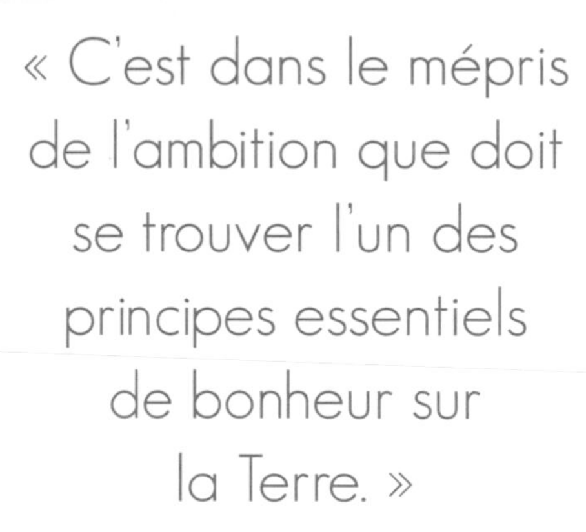

« C'est dans le mépris de l'ambition que doit se trouver l'un des principes essentiels de bonheur sur la Terre. »

Edgar Allan Poe

(1809-1849), écrivain américain

MERCREDI 8 JUIN

Saint Médard

SEMAINE 23

« HEUREUX EST L'HOMME QUI S'ENDORT EN SE DISANT QU'IL A FAIT CE QU'IL POUVAIT FAIRE. »

Extrait du Bhagavad-Gita,
épisode le plus célèbre du Mahabharata, texte sacré indien

JEUDI 9 JUIN

Sainte Diane

SEMAINE 23

« Pourquoi ne pas profiter immédiatement des plaisirs ? Combien d'instants de bonheur ont été gâchés par trop de préparation ? »

Jane Austen

(1775-1817), romancière britannique

VENDREDI 10 JUIN

Saint Landry

SEMAINE 23

N'élevez pas la voix

Au cours d'une conversation, si vous êtes certaine d'avoir raison, vous n'avez pas besoin d'élever la voix. Si vous le ressentez de cette façon, les autres en seront convaincus.

SAMEDI 11 JUIN	DIMANCHE 12 JUIN
Saint Barnabé	*Saint Guy / Fête des Pères (Belgique)*

SEMAINE 23

« Quand tu bois l'eau, pense à la source. »

Proverbe chinois

LUNDI 13 JUIN

Saint Antoine de Padoue

« LE PLUS GRAND SECRET DU BONHEUR, C'EST D'ÊTRE BIEN AVEC SOI. »

Bernard Le Bovier de Fontenelle

(1657-1757), écrivain français

MARDI 14 JUIN

Saint Élisée

SEMAINE 24

« Ne demande pas que les choses arrivent comme tu veux. Mais veuille qu'elles arrivent comme elles arrivent, et tu seras heureux. »

Épictète

(vers 50-125 ap. J.-C.),

philosophe grec stoïcien

MERCREDI 15 JUIN

Sainte Germaine

SEMAINE 24

« Mon ami,
Assieds-toi
Cesse tes allées et venues.
Ton ombre qui s'agite
Sur l'eau
Trouble la sérénité
Des poissons. »

Bing Xin

(1900-1999), poétesse chinoise

JEUDI 16 JUIN

Saint Jean-François Régis

SEMAINE 24

« En renonçant au monde
et à la fortune, j'ai trouvé le
bonheur, le calme, la santé, même
la richesse ; et en dépit du proverbe,
je m'aperçois que qui quitte
la partie la gagne. »

Nicolas de Chamfort

(1741-1794), écrivain français

VENDREDI 17 JUIN

Saint Hervé

SEMAINE 24

Jouez la carte du *Mindfullness*

La pleine conscience, c'est la certitude de profiter d'un instant en activant le maximum de sensations possible. Déguster un jus de pomme en ressentant la caresse d'un rayon de soleil qui l'a fait mûrir et en humant l'air de Bretagne. Observer une œuvre en « écoutant » le pinceau de l'artiste glisser sur la toile. Ce supplément de conscience ne demande qu'un très rapide entraînement. Essayez-le.

SAMEDI 18 JUIN	DIMANCHE 19 JUIN
Saint Léonce	*Saint Romuald / Fête des Pères (France & Canada)*

« Mon corps
est saturé de plaisir
quand j'ai du pain
et de l'eau. »

Épicure

(vers 341-270 av. J.-C.), philosophe
grec et fondateur de l'épicurisme

LUNDI 20 JUIN

Saint Silvère ☺

SEMAINE 25

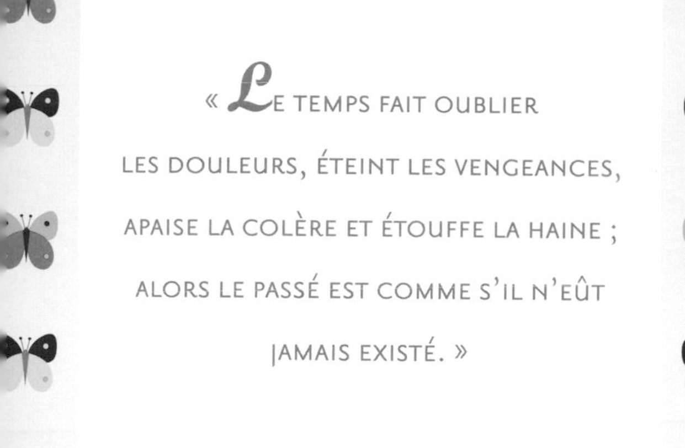

« LE TEMPS FAIT OUBLIER
LES DOULEURS, ÉTEINT LES VENGEANCES,
APAISE LA COLÈRE ET ÉTOUFFE LA HAINE ;
ALORS LE PASSÉ EST COMME S'IL N'EÛT
JAMAIS EXISTÉ. »

(980-1037), philosophe et médecin iranien

MARDI 21 JUIN

Saint Rodolphe / Été / Fête de la Musique

SEMAINE 25

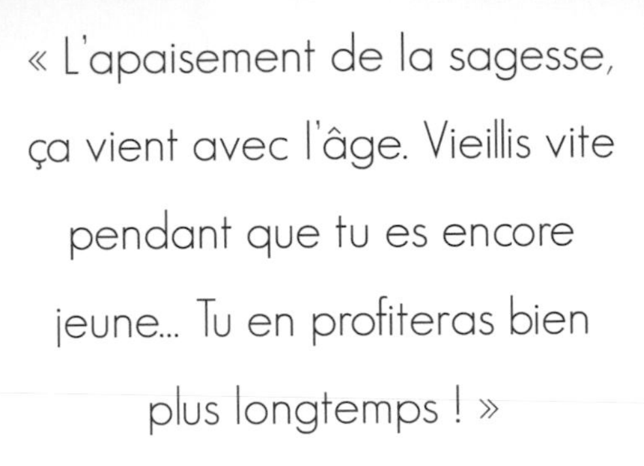

« L'apaisement de la sagesse, ça vient avec l'âge. Vieillis vite pendant que tu es encore jeune… Tu en profiteras bien plus longtemps ! »

Robert Blondin

(né en 1942), journaliste québécois

MERCREDI 22 JUIN

Saint Alban

SEMAINE 25

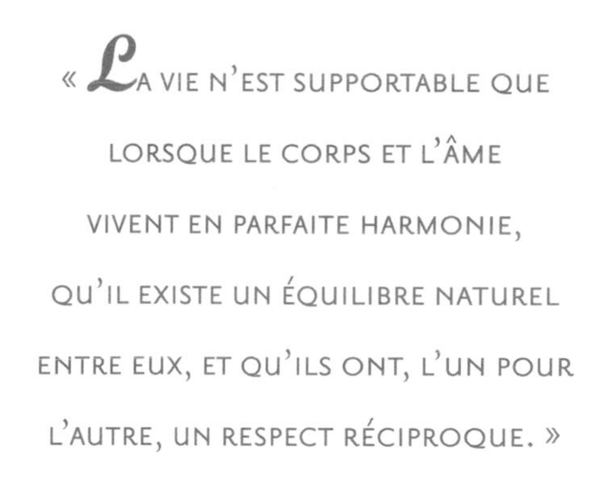
« La vie n'est supportable que lorsque le corps et l'âme vivent en parfaite harmonie, qu'il existe un équilibre naturel entre eux, et qu'ils ont, l'un pour l'autre, un respect réciproque. »

David Herbert Lawrence

(1885-1930), écrivain britannique

JEUDI 23 JUIN

Sainte Audrey / Fête nationale luxembourgeoise

SEMAINE 25

« Devant tout ce qui t'arrive,
pense à rentrer en toi-même
et cherche quelle faculté tu possèdes
pour y faire face. Tu aperçois un beau
garçon, une belle fille ? Trouve en toi
la tempérance. Tu souffres ? Trouve
l'endurance. On t'insulte ? Trouve la
patience. En t'exerçant ainsi tu ne seras
plus le jouet de tes représentations. »

Epictète

(vers 50-125 ap. J.-C.),

philosophe grec stoïcien

VENDREDI 24 JUIN

Saint Jean-Baptiste / Fête nationale québécoise

SEMAINE 25

Sourire plusieurs fois tous les jours rend inutile TOUT *médicament.*

SAMEDI 25 JUIN	DIMANCHE 26 JUIN
Saint Prosper	*Saint Anthelme*

SEMAINE 25

« L'esprit est alimenté de l'intérieur. »

Virgile

(vers 70-19 av. J.-C.), poète romain

LUNDI 27 JUIN

Saint Fernand

SEMAINE 26

« Le silence de la forêt, la brise matinale qui agite doucement les branches des arbres, la solitude et l'isolement qui règnent dans la maison de Dieu, tout cela est bon parce que c'est dans le silence et pas dans l'agitation, dans la solitude et pas dans la foule, que Dieu aime à se révéler le plus intimement aux hommes. »

Thomas James Merton

(1915-1968), écrivain et moine trappiste américain

MARDI 28 JUIN

Saint Irénée

SEMAINE 26

« Paix et tranquillité,
voilà le bonheur. »

Proverbe chinois

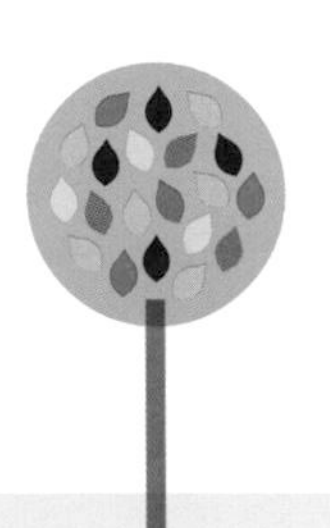

MERCREDI 29 JUIN

Saints Pierre et Paul

SEMAINE 26

« En présence d'un événement malheureux, déjà accompli, auquel par conséquent on ne peut rien changer, il ne faut pas s'abandonner à la pensée qu'il pourrait en être autrement, et encore moins réfléchir à ce qui aurait pu le détourner. »

Arthur Schopenhauer

(1788-1860), philosophe allemand

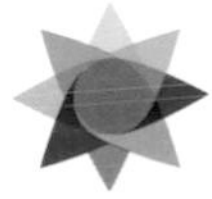

JEUDI 30 JUIN

Saint Martial

SEMAINE 26

« Travailler sans aucun souci de l'opinion d'autrui à réaliser un chef-d'œuvre, tel devrait être le but de l'artiste. »

Paul Cézanne

(1839-1906), peintre français

VENDREDI 1ER JUILLET

Saint Thierry | Fête nationale canadienne

Dépensez-vous

Le sport a un effet apaisant.
Les experts conseillent de le pratiquer le matin, plutôt qu'après une journée éreintante. La course de fond apporte le maximum de calme et de sérénité : régularité de la foulée, respiration métronomique, effort de longue haleine, dépassement de soi… Tout concourt à la mise en ordre de la pensée.

SAMEDI 2 JUILLET	DIMANCHE 3 JUILLET
Saint Martinien	*Saint Thomas*

« Se venger d'une offense, c'est se mettre au niveau de son ennemi ; la lui pardonner, c'est se mettre au-dessus de lui. »

Proverbe anglais

LUNDI 4 JUILLET

Saint Florent
Fête nationale américaine (Independence Day)

SEMAINE 27

« NOUS TENONS NOTRE SÉRÉNITÉ D'UNE FORCE SPIRITUELLE QUE NOUS APPELONS "AHIMSA", ET QUI SIGNIFIE EN SANSCRIT "ABSENCE DU DÉSIR DE TUER". ELLE INSPIRE LA NON-VIOLENCE QUI EST POUR NOUS UNE FORCE ACTIVE DE L'ORDRE LE PLUS ÉLEVÉ. C'EST LE POUVOIR DE DIEU EN NOUS. »

Gandhi

(1869-1948), dirigeant politique et spirituel indien

MARDI 5 JUILLET

Saint Antoine

SEMAINE 27

« J'ai fait de la simplicité le principe unificateur de mon existence. »

Milan Kundera

(né en 1929), écrivain tchèque, naturalisé français

MERCREDI 6 JUILLET

Sainte Mariette

SEMAINE 27

« Bien sûr, il m'arrive de changer d'humeur. Mais je conserve ma sérénité grâce à ma foi dans l'art, ma confiance inextinguible dans ce fleuve puissant qui mène l'artiste à son port, même s'il doit traverser la tempête. »

Vincent van Gogh

(1853-1890), peintre hollandais

JEUDI 7 JUILLET

Saint Raoul

SEMAINE 27

« Si tu ne trouves pas la vérité à l'endroit où tu es, où espères-tu la trouver ? »

Eihei Dôgen

(1200-1253), maître bouddhiste

et philosophe japonais

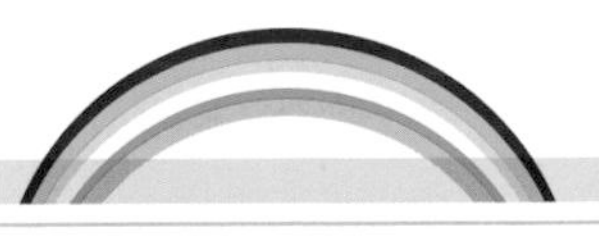

VENDREDI 8 JUILLET

Saint Thibaut

SEMAINE 27

Adoptez la sérénité d'un grand roi

XERXÈS, LE ROI DES ROIS DE L'EMPIRE PERSE, AVAIT FAIT ARRÊTER SON IMPOSANTE ARMÉE PENDANT PLUSIEURS JOURS AFIN DE POUVOIR CONTEMPLER À LOISIR LA BEAUTÉ D'UN SEUL SYCOMORE, DIT LE « FIGUIER DES PHARAONS ».

SAMEDI 9 JUILLET	DIMANCHE 10 JUILLET
Sainte Amandine	*Saint Ulrich*

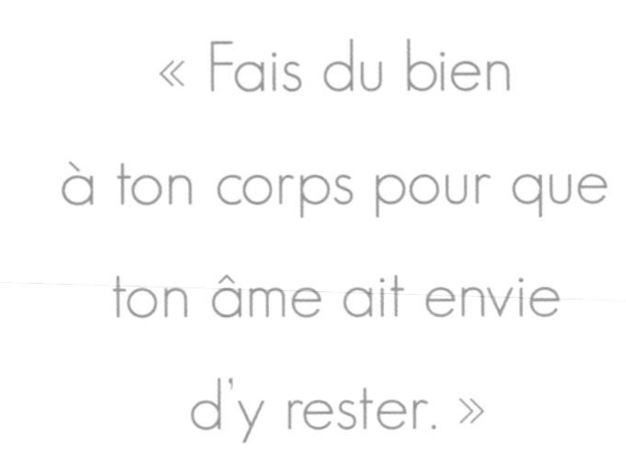

« Fais du bien
à ton corps pour que
ton âme ait envie
d'y rester. »

Proverbe indien

LUNDI 11 JUILLET

Saint Benoît

SEMAINE 28

« LA NATURE S'APAISE
ET L'HOMME TROUVE
SON REPOS LORSQU'UN
SILENCE PROFOND S'EMPARE
ENFIN DES MOTS. »

Théo Klein

(né en 1920), avocat français

MARDI 12 JUILLET

Saint Olivier

SEMAINE 28

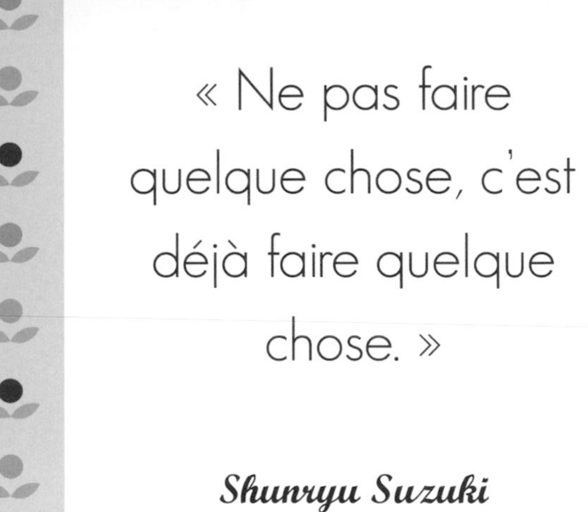

« Ne pas faire quelque chose, c'est déjà faire quelque chose. »

Shunryu Suzuki

(1904-1971),

maître bouddhiste américain

MERCREDI 13 JUILLET

Saints Henri et Joël

SEMAINE 28

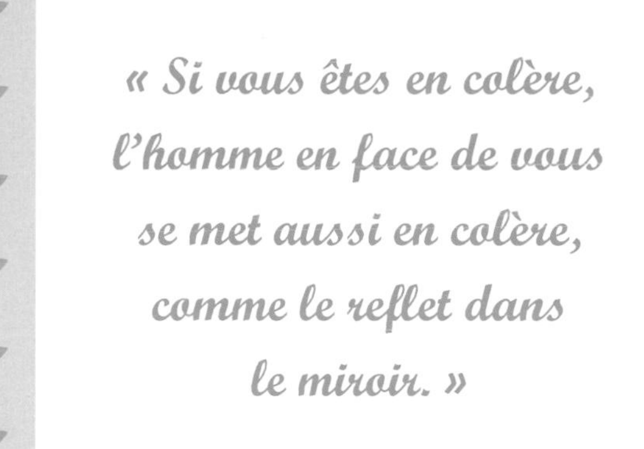

« Si vous êtes en colère,
l'homme en face de vous
se met aussi en colère,
comme le reflet dans
le miroir. »

Yasuo Deshimaru

(1914-1982),

maître bouddhiste japonais

JEUDI 14 JUILLET

Saint Camille / Fête nationale française

SEMAINE 28

« Le jour tombe.
Un grand apaisement se fait
dans les pauvres esprits fatigués
du labeur de la journée ; et leurs
pensées prennent maintenant
les couleurs tendres et indécises
du crépuscule. »

Charles Baudelaire

(1821-1867), poète français

VENDREDI 15 JUILLET

Saint Donald

SEMAINE 28

Donnez, sans réfléchir

Le don possède un effet magique :
il apaise presque instantanément celui
qui donne. Tout simplement parce qu'il
propulse immédiatement celui qui donne
dans l'univers de celui qui reçoit.
Faites-en l'expérience, un jour, en
répondant par un geste généreux à
celui qui vous en fera la demande.
Votre journée se déroulera sous
le signe d'une infinie sérénité.

SAMEDI 16 JUILLET	DIMANCHE 17 JUILLET
N.-D. du Mont Carmel	*Sainte Charlotte*

« Une petite minute,
si humble soit-elle,
fait l'immensité
de l'éternité. »

Proverbe japonais

LUNDI 18 JUILLET

Saint Frédéric

SEMAINE 29

« Celui qui va lentement arrivera rapidement. »

Milarépa

(vers 1040-vers 1123),

moine bouddhiste tibétain

MARDI 19 JUILLET

Saint Arsène

SEMAINE 29

« Après tout, que les autres soient ingrats, injustes, envieux, mal disposés, cela les regarde. Ton affaire, c'est de rester calme et d'agir comme s'ils étaient ce que tu aimerais les voir être. »

Henri-Frédéric Amiel

(1821-1881), écrivain suisse

MERCREDI 20 JUILLET

Sainte Marina ☺

SEMAINE 29

« Je vais élever des escargots… Leur lenteur m'apaise… »

Patrick Cauwin

(1932-2010), écrivain français

JEUDI 21 JUILLET

Saint Victor / Fête nationale belge

SEMAINE 29

« Il se faut réserver
une arrière-boutique,
toute nôtre, toute franche,
en laquelle nous établissons
notre vraie liberté
et principale retraite. »

Michel de Montaigne

(1533-1592), humaniste français

VENDREDI 22 JUILLET

Sainte Marie Madeleine

SEMAINE 29

Observez la voûte céleste

Le ciel étoilé est vertigineux, parfois angoissant. Au commencement, l'Univers était chaud et dense. Puis les nuages de gaz se sont dilatés, et les astres se sont constitués. Comme autant de poumons des galaxies, les étoiles y ont rejeté des éléments de plus en plus lourds, qui ont créé des entités complexes, comme notre système solaire. Treize milliards d'années ont été nécessaires pour développer notre vie terrestre, qui maintenant contemple avec calme et sérénité ce long cheminement qui l'a fait éclore. Comprendre cette « croissance de la complexité » et apprendre d'où nous venons, c'est apaiser tout notre être face à l'immensité.

SAMEDI 23 JUILLET	DIMANCHE 24 JUILLET
Sainte Brigitte	*Sainte Christine*

« Passe à travers la vie sans violence, l'âme pleine de joie, même si les hommes poussent contre toi les clameurs qu'ils voudront. [...] Dans tous les cas, qui donc empêche ta pensée de conserver sa sérénité, de porter un jugement vrai sur ce qui se passe autour de toi ? »

Marc Aurèle

(121-180), empereur romain
et philosophe stoïcien

LUNDI 25 JUILLET

Saint Jacques

SEMAINE 30

« Écoutez seulement avec attention le vent dans les pins et les cèdres. »

Ryonen Gensô

(1646-1711), religieuse et artiste japonaise

MARDI 26 JUILLET

Saints Anne et Joachim

SEMAINE 30

« Je crois que je pourrais aller vivre avec les animaux, ils sont si placides et réservés. Je reste des heures et des heures à les regarder. »

Walt Whitman

(1819-1892), poète américain

MERCREDI 27 JUILLET

Sainte Nathalie

SEMAINE 30

« Voici ce que vieillesse doit apprendre : l'ABC de la mort. S'en aller sans s'en aller. Aimer et quitter. Et l'insupportable savoir, toujours savoir... »

Elwyn Brooks White

(1899-1985), écrivain américain

JEUDI 28 JUILLET

Saint Samson

SEMAINE 30

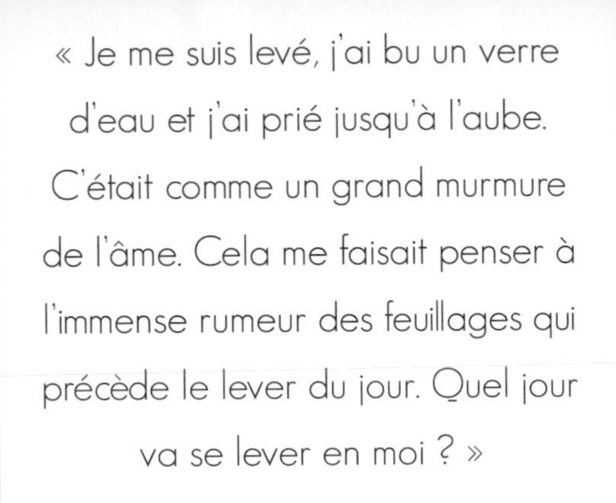

« Je me suis levé, j'ai bu un verre d'eau et j'ai prié jusqu'à l'aube. C'était comme un grand murmure de l'âme. Cela me faisait penser à l'immense rumeur des feuillages qui précède le lever du jour. Quel jour va se lever en moi ? »

Georges Bernanos
(1888-1948), écrivain français

VENDREDI 29 JUILLET

Sainte Marthe

SEMAINE 30

Pratiquez le jeûne

Le jeûne spirituel, parfaitement maîtrisé, constitue une étape vers des bienfaits non négligeables. Pour être efficace, il doit démarrer progressivement et être accompagné d'une attitude sereine. Lorsque vous reprenez votre alimentation, faites-le graduellement et efforcez-vous de conserver votre calme dans les semaines suivantes.

SAMEDI 30 JUILLET	DIMANCHE 31 JUILLET
Sainte Juliette	*Saint Ignace de Loyola*

« La perfection
ne consiste pas à faire
des choses extraordinaires,
mais à faire des choses
ordinaires de façon
extraordinaire. »

Elwyn Brooks White

(1899-1985), écrivain américain

LUNDI 1ER AOÛT

Saint Alphonse / Fête nationale suisse

SEMAINE 31

Faites une liste !

Le soir, sur le chemin du retour, avant de franchir la porte de votre domicile, dressez la liste de toutes vos actions de la journée... surtout si celle-ci fut harassante et pénible. Dans ces actions, vous en trouverez assurément une ou deux qui vous ont enrichie. Fut-il minime, cet enrichissement est suffisant pour garantir la sérénité d'une soirée que vous passerez en famille et que vous protégerez des turpitudes de la vie quotidienne.

SAMEDI 6 AOÛT	DIMANCHE 7 AOÛT
Saint Octavien / Transfiguration du Seigneur	*Saint Gaétan*

« Je suis un irrépressible optimiste qui croit dans l'infinie capacité d'un individu à développer la non-violence. Car plus vous la développez en vous, plus elle devient contagieuse, jusqu'à s'emparer de votre entourage puis, de proche en proche, du monde entier. »

Gandhi

(1869-1948), dirigeant politique et spirituel indien

LUNDI 8 AOÛT

Saint Dominique

SEMAINE 32

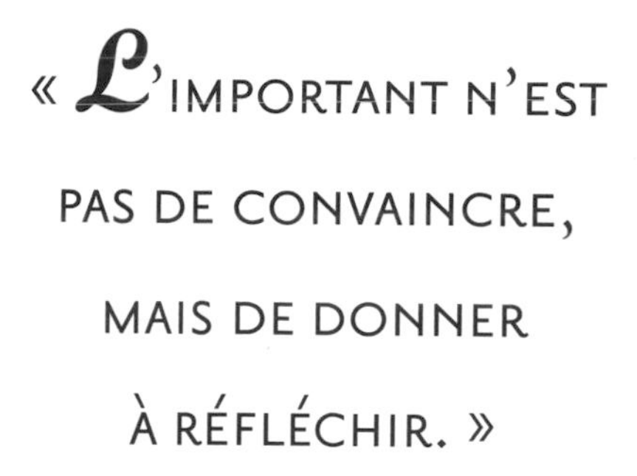

« L'IMPORTANT N'EST PAS DE CONVAINCRE, MAIS DE DONNER À RÉFLÉCHIR. »

Bernard Werber

(né en 1961), écrivain français

MARDI 9 AOÛT

Saint Amour

SEMAINE 32

« Si votre esprit n'est
pas embrouillé par
des choses inutiles,
c'est que vous êtes dans
la meilleure phase de
votre existence. »

Précepte du Wu Weï,
discipline du taoïsme

MERCREDI 10 AOÛT

Saint Laurent

SEMAINE 32

« Un rien m'agite.

Mais rien ne

m'ébranle. »

Louise Weiss

(1893-1983), journaliste, écrivaine

et féministe française

JEUDI 11 AOÛT

Sainte Claire

SEMAINE 32

« Ma seule affaire, c'est d'aller par les rues pour vous persuader, jeunes et vieux, de ne vous préoccuper ni de votre corps ni de votre fortune aussi passionnément que de votre âme, pour la rendre aussi bonne que possible. »

Platon

(vers 427-347 av. J.-C.),

philosophe grec

VENDREDI 12 AOÛT

Sainte Jeanne-Françoise de Chantal

SEMAINE 32

Arpentez un musée... désert !

Il n'y a rien de plus apaisant que de découvrir ou redécouvrir les chefs-d'œuvre d'une collection permanente ou de prendre le temps de voir des toiles de petits maîtres oubliés. Fuyez l'affluence des grandes expositions et choisissez de passer trente minutes dans le calme d'un vieux musée au parquet craquant. Effet garanti !

SAMEDI 13 AOÛT	DIMANCHE 14 AOÛT
Saint Hippolyte	*Saint Evrard*

« Même si je marche dans un ravin d'ombre et de mort, je ne crains aucun mal car tu es avec moi. »

La Bible

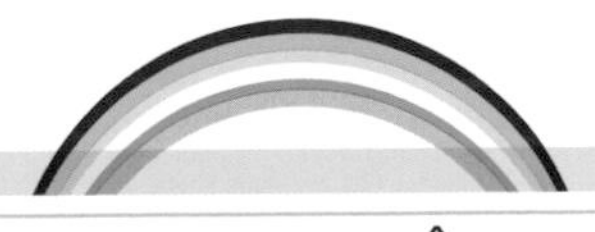

LUNDI 15 AOÛT

Sainte Marie / Assomption

SEMAINE 33

« Que nous importe aujourd'hui
ce que nous fûmes autrefois ?
Que nous importe ce que le temps
fera de notre substance ? Tournons
nos regards vers l'immensité du temps
écoulé, songeons à la variété infinie
des mouvements de la matière. »

Lucrèce

(vers 98-55 av. J.-C.),

poète et philosophe romain

MARDI 16 AOÛT

Saint Armel

SEMAINE 33

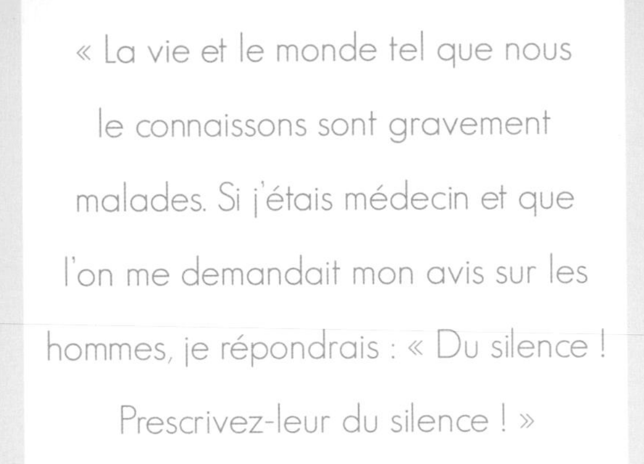

« La vie et le monde tel que nous le connaissons sont gravement malades. Si j'étais médecin et que l'on me demandait mon avis sur les hommes, je répondrais : « Du silence ! Prescrivez-leur du silence ! »

Søren Kierkegaard

(1813-1855), philosophe danois

MERCREDI 17 AOÛT

Saint Hyacinthe

SEMAINE 33

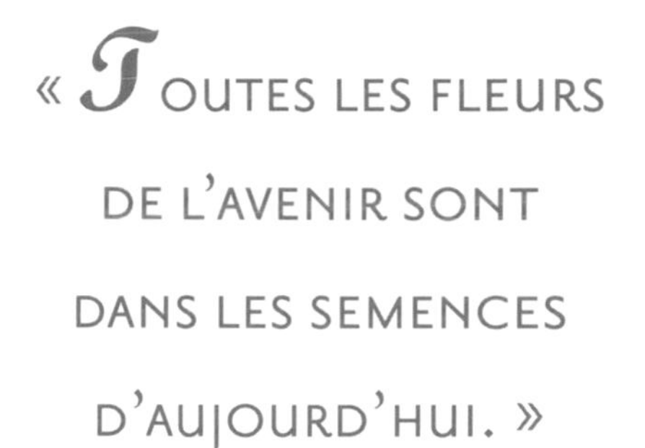

« Toutes les fleurs de l'avenir sont dans les semences d'aujourd'hui. »

Proverbe chinois

JEUDI 18 AOÛT

Sainte Hélène ☺

SEMAINE 33

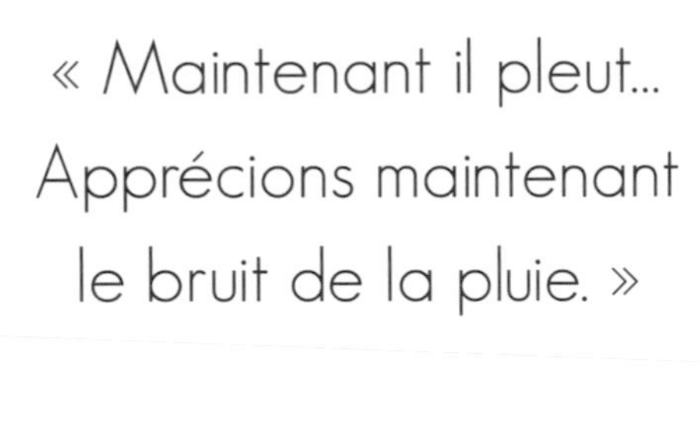

« Maintenant il pleut… Apprécions maintenant le bruit de la pluie. »

Shunryu Suzuki

(1904-1971),

maître bouddhiste américain

VENDREDI 19 AOÛT

Saint Jean Eudes

SEMAINE 33

Apaisez votre corps

Une main passée nerveusement dans les cheveux, ces doigts que l'on fait craquer sans répit… Repérez ces gestes parasites devenus compulsifs, qui ne servent en rien à canaliser votre stress. Il faudra sans doute un effort de plusieurs semaines pour vous en débarrasser. Mais le sentiment de sérénité que vous en retirerez sera à la hauteur de votre volonté.

SAMEDI 20 AOÛT	DIMANCHE 21 AOÛT
Saint Bernard	*Saint Christophe*

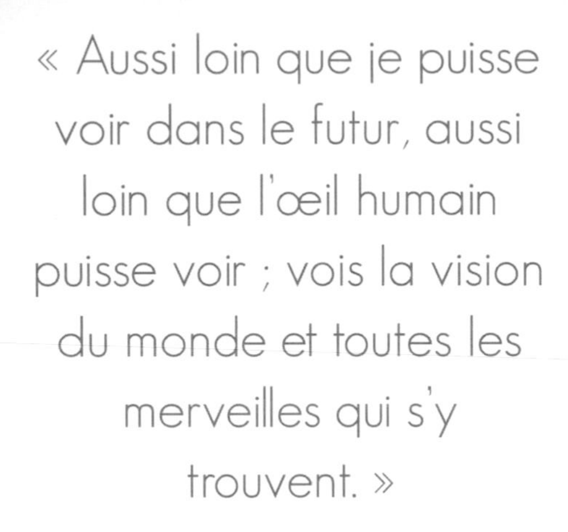

« Aussi loin que je puisse voir dans le futur, aussi loin que l'œil humain puisse voir ; vois la vision du monde et toutes les merveilles qui s'y trouvent. »

Alfred Tennyson

(1809-1892), poète britannique

LUNDI 22 AOÛT

Saint Fabrice

SEMAINE 34

« Ne soyez jamais pressé.

Ce que vous devez faire, faites-le dans un esprit dispos. Ne quittez pas la paix intérieure même si le chaos semble s'installer autour de vous. »

Saint François de Sales

(1567-1622), théologien catholique français canonisé

MARDI 23 AOÛT

Sainte Rose de Lima

« Afin de ne pas perdre
la tranquillité de notre vie pour
des maux dont l'existence ou
l'époque sont indécises, il faut nous
habituer à envisager les uns comme
ne devant jamais arriver, les autres
comme ne devant sûrement pas
arriver de sitôt. »

Arthur Schopenhauer

(1788-1860), philosophe allemand

MERCREDI 24 AOÛT

Saint Barthélemy

SEMAINE 34

« Le plus grand conquérant est celui qui sait vaincre sans bataille. »

Lao-Tseu

(VIe-Ve s. av. J-C),

philosophe taoïste chinois

JEUDI 25 AOÛT

Saint Louis

SEMAINE 34

« Pour être maître de soi,

il est besoin de réfléchir sur soi. [...]

C'est une leçon de prudence

de connaître son propre penchant,

et de le prévenir pour trouver l'équilibre

de la raison entre la nature et l'art. »

Baltasar Gracián

(1601-1658), écrivain et philosophe

du Siècle d'or espagnol

VENDREDI 26 AOÛT

Sainte Natacha

SEMAINE 34

Sortez de vous-même

Vous pouvez chasser les pensées
qui vous font mal et augmenter votre
emprise sur l'instant présent. Pour cela,
il faut changer l'idée que vous avez du
regard des autres. Si votre attention
se concentre suffisamment sur votre
relation avec ceux qui vous entourent,
sur le don et l'écoute, la peur et l'anxiété
disparaissent pour faire place
à la paix et la joie.

SAMEDI 27 AOÛT	DIMANCHE 28 AOÛT
Sainte Monique	*Saint Augustin*

« Lorsque tu t'impatientes contre quelque chose, tu oublies que tout arrive conformément à la nature universelle ; que la faute commise ne te concerne pas, et aussi que tout ce qui arrive est toujours arrivé ainsi, arrivera encore et arrive partout, même à l'heure qu'il est. »

Marc Aurèle

(121-180), empereur romain

et philosophe stoïcien

LUNDI 29 AOÛT

Sainte Sabine

SEMAINE 35

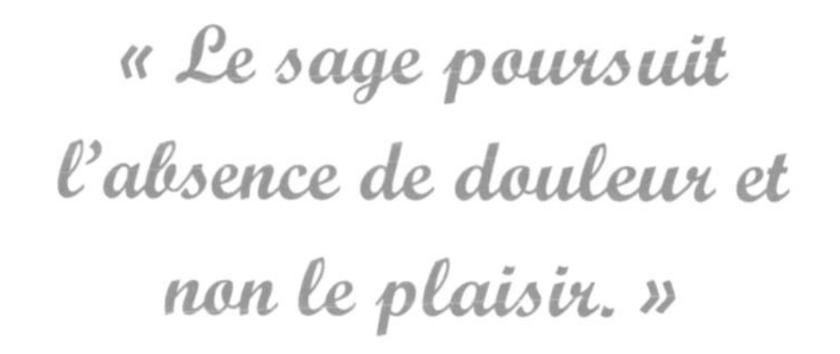

« Le sage poursuit l'absence de douleur et non le plaisir. »

Aristote

(384-322 av. J.-C.), philosophe grec

MARDI 30 AOÛT

Saint Fiacre

SEMAINE 35

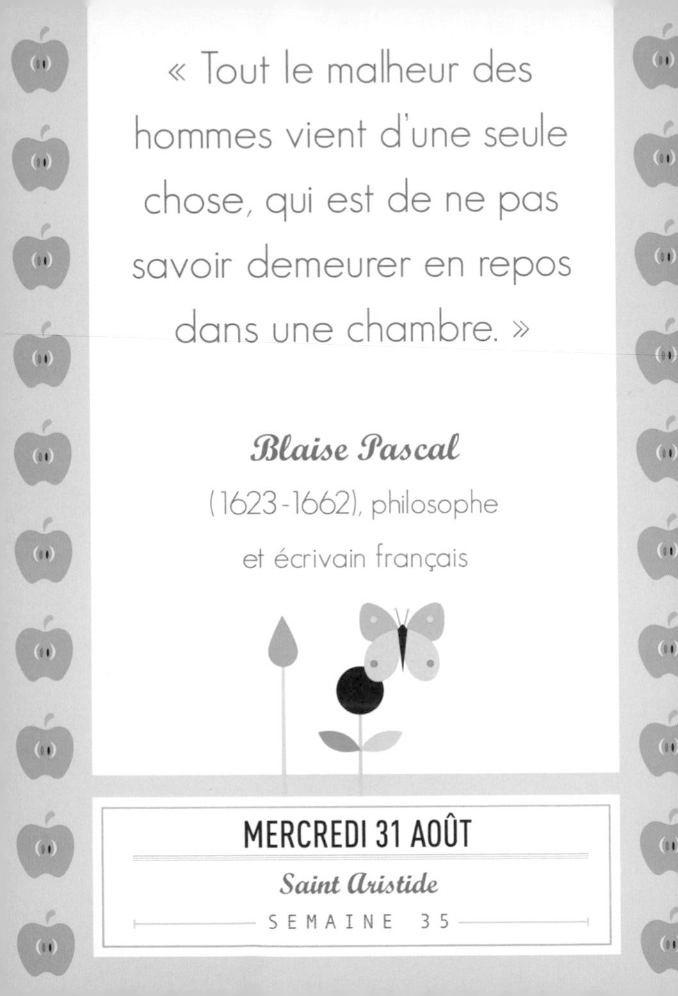

« Tout le malheur des hommes vient d'une seule chose, qui est de ne pas savoir demeurer en repos dans une chambre. »

Blaise Pascal

(1623-1662), philosophe et écrivain français

MERCREDI 31 AOÛT

Saint Aristide

SEMAINE 35

« Qui triomphe

de son caractère

acquiert

la force. »

Lao-Tseu

(VIe-Ve s. av. J.-C.),

philosophe taoïste chinois

JEUDI 1ER SEPTEMBRE

Saint Gilles

SEMAINE 35

« Contentez-vous
de laisser les eaux se
calmer et le Soleil et
la Lune se refléter sur
la surface de votre être. »

Djalal al-Din Rumi

(1207-1273), poète mystique de l'islam

VENDREDI 2 SEPTEMBRE

Sainte Ingrid

SEMAINE 35

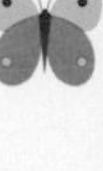

Ne faites pas du désir le moteur de votre vie

DÉSIRER QUELQUE CHOSE EST NATUREL. MAIS LA GRANDEUR DE L'ÊTRE HUMAIN EST SA CAPACITÉ À S'INTERROGER SUR LA SATISFACTION DE CE DÉSIR. CAR NOUS SAVONS QU'UN DÉSIR, UNE FOIS OBTENU, FAIT TOUJOURS PLACE À UNE NOUVELLE AGITATION. POUR ÉPICTÈTE, LA SÉRÉNITÉ NAÎT DE L'ACTION DE NE PAS DÉSIRER, CAR ELLE CONSISTE À ÊTRE LIBRE.

SAMEDI 3 SEPTEMBRE	DIMANCHE 4 SEPTEMBRE
Saint Grégoire	*Sainte Rosalie*

SEMAINE 35

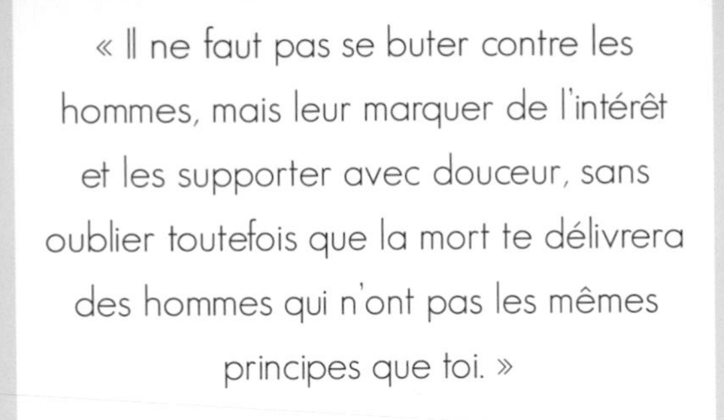

« Il ne faut pas se buter contre les hommes, mais leur marquer de l'intérêt et les supporter avec douceur, sans oublier toutefois que la mort te délivrera des hommes qui n'ont pas les mêmes principes que toi. »

Marc Aurèle

(121-180), empereur romain

et philosophe stoïcien

LUNDI 5 SEPTEMBRE

Sainte Raïssa / Fête du Travail (Canada)

SEMAINE 36

« SEIGNEUR, ACCORDEZ-MOI CETTE FOI QUI NE CRAINT NI LES DANGERS, NI LA DOULEUR, NI LA MORT, QUI SAIT MARCHER DANS LA VIE AVEC CALME, PAIX ET JOIE PROFONDE, ET QUI ÉTABLIT L'ÂME DANS UN DÉTACHEMENT ABSOLU DE TOUT CE QUI N'EST PAS VOUS. »

Charles de Foucauld

(1858-1916), officier et religieux français

MARDI 6 SEPTEMBRE

Saint Bertrand

SEMAINE 36

« Les instants d'or pur du torrent
de la vie filent sous nos yeux
et nous n'y voyons que du sable ;
les anges viennent nous rendre visite
et nous les reconnaissons seulement
quand ils sont repartis. »

George Eliot

(1819-1880), romancière britannique

MERCREDI 7 SEPTEMBRE

Sainte Reine

SEMAINE 36

« Le meilleur gouvernement est celui qui nous enseigne à nous gouverner nous-mêmes. »

Johann Wolfgang von Goethe

(1749-1832), écrivain allemand

JEUDI 8 SEPTEMBRE

Saint Adrien / Nativité de la Vierge Marie

SEMAINE 36

« L'esprit est comme un parachute, il ne peut nous sauver que s'il est ouvert. »

Anonyme

VENDREDI 9 SEPTEMBRE

Saint Alain

SEMAINE 36

Apprenez à lâcher prise

La souffrance prend sa source dans le fait que nous voulons que les choses soient autres que ce qu'elles sont. Que les gens soient différents de ce qu'ils sont. Mais lorsque nous lâchons prise sur ces attentes, nous nous rendons compte que nous pouvons atteindre très rapidement la joie et la sérénité.

SAMEDI 10 SEPTEMBRE	DIMANCHE 11 SEPTEMBRE
Sainte Inès	*Saint Adelphe*

SEMAINE 36

« Quand une pensée négative survient, soyez conscient qu'elle est produite par votre inconscient. »

Précepte bouddhiste

LUNDI 12 SEPTEMBRE

Saint Apollinaire

SEMAINE 37

« Ne me donnez rien d'établi, de figé, d'immuable. Ne me donnez rien d'infini, rien d'éternel. Donnez-moi l'effervescence blanche et tranquille, l'incandescence et la froideur de l'instant incarné. [...] Le présent immédiat, le maintenant. »

David Herbert Lawrence

(1885-1930), écrivain britannique

MARDI 13 SEPTEMBRE

Saint Aimé

SEMAINE 37

« J'habite une forêt profonde
Les glycines poussent
chaque année un peu plus
Nulle préoccupation mondaine ne m'atteint
Parfois un bûcheron chante
Je recouds ma robe de moine au soleil
Je lis des poèmes à la lumière de la lune
Je voudrais dire aux hommes que pour être
heureux peu de choses sont nécessaires. »

Taigu Ryokan

(1758-1831), religieux et poète japonais

MERCREDI 14 SEPTEMBRE

Saint Materne

SEMAINE 37

« Inutile de quitter votre chambre. Restez assis à votre bureau et écoutez. Ou plutôt, n'écoutez pas : contentez-vous d'attendre. Ou même n'attendez pas. Restez seul et immobile. Alors le monde s'offrira librement à vous, prêt à être démasqué. »

Franz Kafka

(1883-1924), écrivain tchèque

JEUDI 15 SEPTEMBRE

Saint Roland

SEMAINE 37

« On admire

les choses qu'on ne

comprend pas. »

Proverbe indien

VENDREDI 16 SEPTEMBRE

Sainte Édith ☺

SEMAINE 37

Prenez de la hauteur

La sérénité naît de la certitude d'être en prise avec la réalité et de progresser. Réfléchissez, chaque soir, à ce que vous venez de vivre pendant la journée. Capitalisez sur tous les détails. Car, comme l'affirme l'écrivain britannique Aldous Huxley, « l'expérience n'est pas ce qui arrive à un homme, c'est ce qu'un homme fait avec ce qui lui arrive ».

SAMEDI 17 SEPTEMBRE	DIMANCHE 18 SEPTEMBRE
Saint Renaud	*Sainte Nadège*

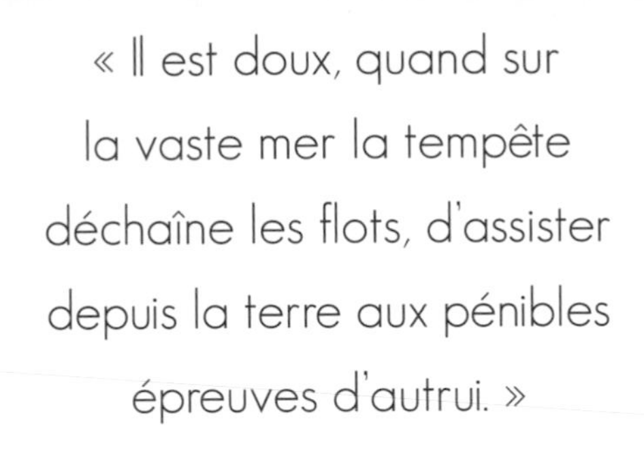

« Il est doux, quand sur la vaste mer la tempête déchaîne les flots, d'assister depuis la terre aux pénibles épreuves d'autrui. »

Lucrèce

(vers 98-54 av. J.-C.),
poète et philosophe romain

LUNDI 19 SEPTEMBRE

Sainte Émilie

SEMAINE 38

« Votre vie quotidienne est votre temple et votre religion. »

Khalil Gibran

(1883-1931), écrivain libanais

MARDI 20 SEPTEMBRE

Saint Davy

SEMAINE 38

« Ce à quoi j'aspire
est un équilibre parfait entre
la pureté et la sérénité, dénué
de tout sujet de trouble ou
de désespoir, un mouvement
calme et doux apaisant
l'esprit, comme le fait
une chaise à bascule après
une intense fatigue. »

Henri Matisse
(1869-1954), peintre français

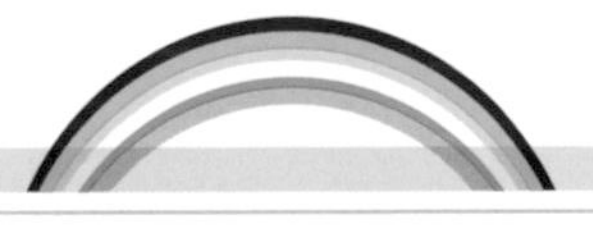

MERCREDI 21 SEPTEMBRE

Saint Matthieu

SEMAINE 38

« La mort n'est rien. Je suis seulement passé dans la pièce à côté. Je suis moi. Vous êtes vous. Ce que nous étions les uns pour les autres, nous le sommes toujours. [...] Pourquoi serais-je hors de votre pensée simplement parce que je suis hors de votre vue ? Je vous attends. Je ne suis pas loin, juste de l'autre côté du chemin. Vous voyez, tout est bien. »

Charles Péguy
(1873-1914), écrivain français

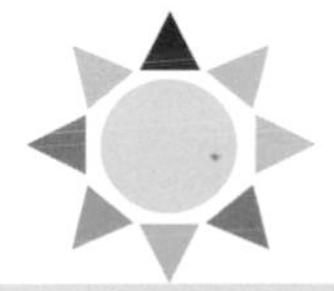

JEUDI 22 SEPTEMBRE

Saint Maurice / Automne

SEMAINE 38

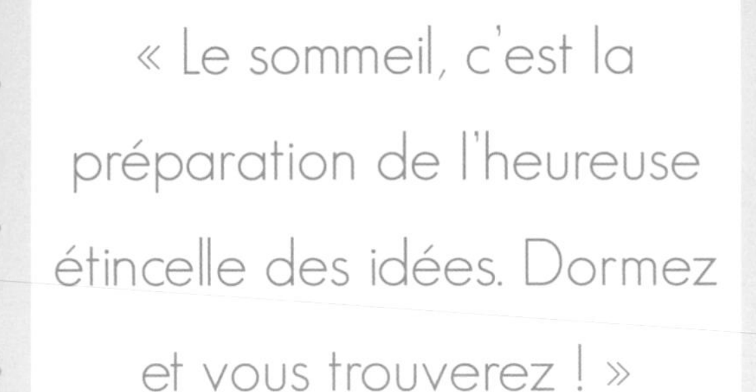

« Le sommeil, c'est la préparation de l'heureuse étincelle des idées. Dormez et vous trouverez ! »

Paul Valéry

(1871-1945), écrivain français

VENDREDI 23 SEPTEMBRE

Saint Constant

SEMAINE 38

Cultivez la patience

« À FORCE DE TEMPS, LA GOUTTE D'EAU PERCE LA PIERRE » : LA SAGESSE CHINOISE ET LE BON SENS OCCIDENTAL S'ACCORDENT SUR LE FAIT QUE « LA PATIENCE VIENT À BOUT DE TOUT ». CULTIVER LA PATIENCE POSSÈDE LE DOUBLE AVANTAGE D'ENGENDRER LE CALME INTÉRIEUR – EN FAISANT FI DE LA FRUSTRATION – ET DE RENFORCER VOTRE OPINIÂTRETÉ, EN INSCRIVANT VOTRE BUT DANS LA DURÉE.

SAMEDI 24 SEPTEMBRE	DIMANCHE 25 SEPTEMBRE
Sainte Thècle	*Saint Hermann*

SEMAINE 38

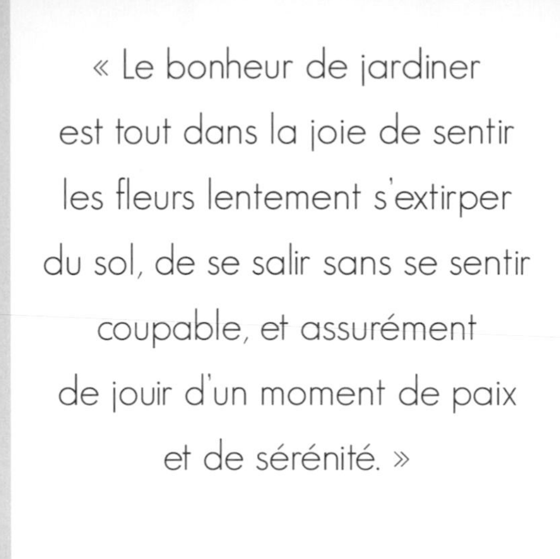

« Le bonheur de jardiner
est tout dans la joie de sentir
les fleurs lentement s'extirper
du sol, de se salir sans se sentir
coupable, et assurément
de jouir d'un moment de paix
et de sérénité. »

Lindley Karstens
(née en 1961), artiste américaine

LUNDI 26 SEPTEMBRE

Saintes Côme et Damien

SEMAINE 39

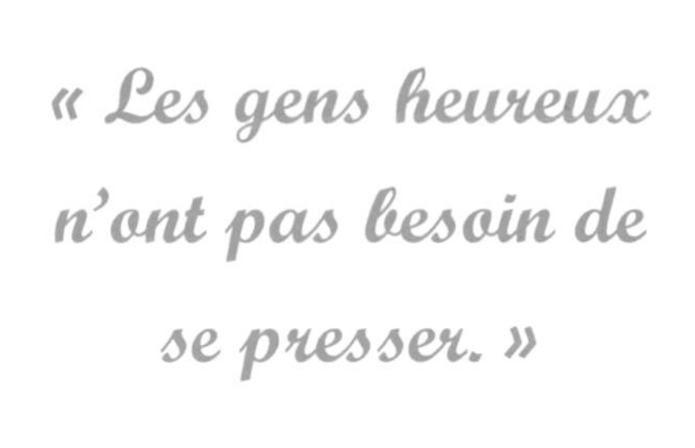

Proverbe chinois

MARDI 27 SEPTEMBRE

Saint Vincent de Paul

SEMAINE 39

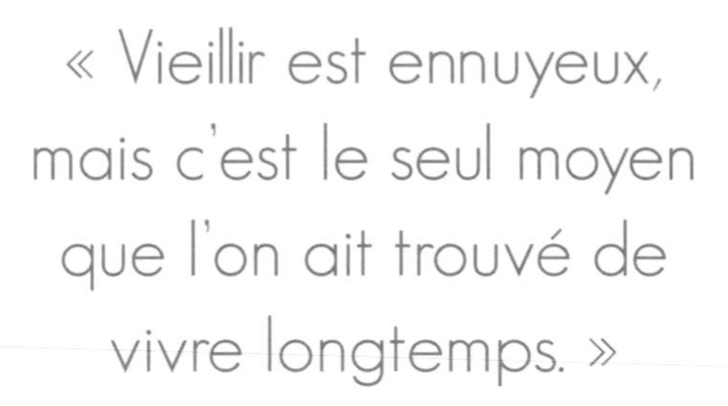

« Vieillir est ennuyeux, mais c'est le seul moyen que l'on ait trouvé de vivre longtemps. »

Charles-Augustin Sainte-Beuve

(1804-1869), écrivain et critique littéraire

MERCREDI 28 SEPTEMBRE

Saint Venceslas

SEMAINE 39

« NOTRE BUT DANS LA VIE N'EST PAS DE REMPORTER LE MAXIMUM DE VICTOIRES, MAIS DE PERDRE AVEC LE MEILLEUR ESPRIT POSSIBLE. »

Robert Louis Stevenson

(1850-1894), voyageur et écrivain britannique

JEUDI 29 SEPTEMBRE

Saints Michel, Gabriel et Raphaël

SEMAINE 39

« Ne méprise pas la mort,

mais fais-lui bon accueil,

comme étant l'une

des choses voulues

par la nature. »

Marc Aurèle

(121 - 180), empereur romain

et philosophe stoïcien

VENDREDI 30 SEPTEMBRE

Saint Jérôme

SEMAINE 39

Pratiquez l'introspection

Une légende hindoue conte un temps où tous les hommes étaient des dieux. Mais ils abusèrent tant de leur pouvoir divin que Brahmâ, le maître des dieux, décida de leur retirer et de le cacher à l'intérieur du cœur des hommes, là où ils n'iraient jamais chercher. Depuis, les hommes parcourent le monde au lieu de chercher en eux-mêmes... le calme et la sérénité.

SAMEDI 1ER OCTOBRE	DIMANCHE 2 OCTOBRE
Sainte Thérèse de l'Enfant Jésus	*Saint Léger*

SEMAINE 39

« Une personne libre est une personne qui peut refuser une invitation à dîner sans donner la moindre excuse. »

Jules Renard

(1864-1910), écrivain français

LUNDI 3 OCTOBRE

Saint Gérard

SEMAINE 40

« Celui qui s'abstient d'agir échoue. Celui qui renonce à la récompense de son action s'élève. »

Gandhi

(1869-1948), dirigeant politique et spirituel indien

MARDI 4 OCTOBRE

Saint François d'Assise

SEMAINE 40

« Ne plus avoir à attendre, voilà ce qui libère le moi. Ne rien posséder, même pas soi-même. Plus rien au monde ne pourra vous posséder. »

Précepte zen

MERCREDI 5 OCTOBRE

Sainte Fleur

SEMAINE 40

« Le monde entier n'est que la conscience que nous en avons. Si le cœur est en paix, même les trésors les plus chers ne valent rien. J'aime mon pauvre logis. Je suis désolé pour tous ces esclaves du monde matériel. On ne peut apprécier la solitude qu'en la vivant. »

Kamo no Chomei

(vers 1155-1216), poète japonais

JEUDI 6 OCTOBRE

Saint Bruno

SEMAINE 40

« En toutes choses, il faut faire ce qui dépend de soi et du reste être ferme et tranquille. Je suis obligé de voyager ? Que dois-je faire ? Choisir le navire, le capitaine, la saison et le jour de l'embarquement. Voilà tout ce qui dépend de moi. En pleine mer, s'il survient une grosse tempête, ce n'est plus mon affaire. »

Épictète

(vers 50-125 ap. J.-C.), philosophe grec stoïcien

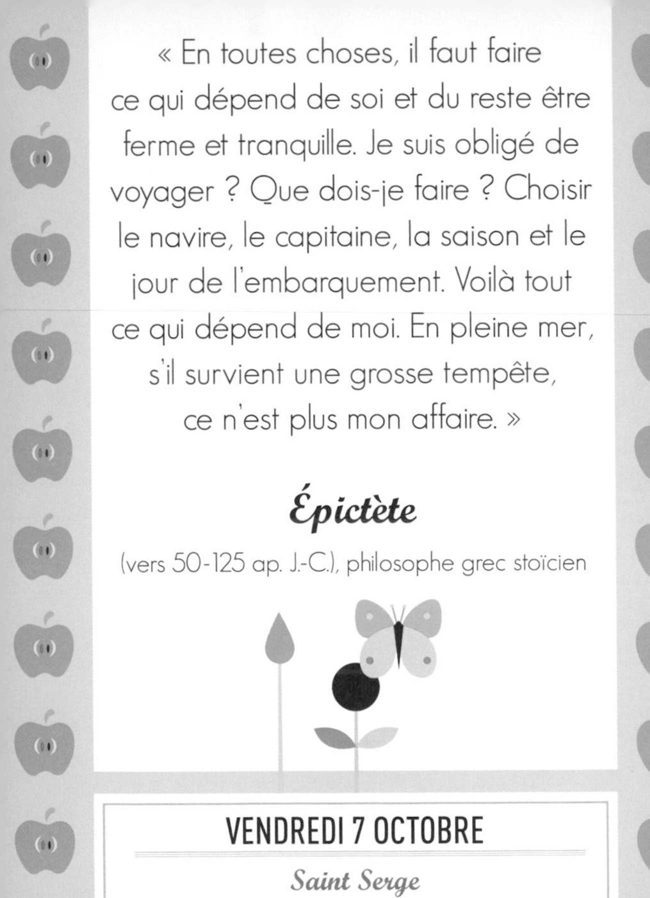

VENDREDI 7 OCTOBRE

Saint Serge

SEMAINE 40

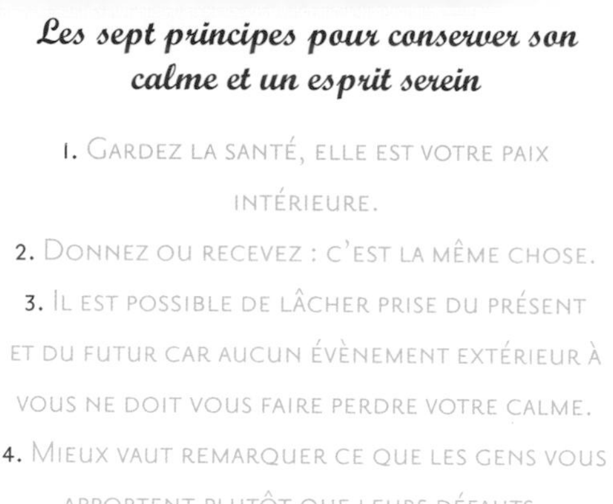

Les sept principes pour conserver son calme et un esprit serein

1. Gardez la santé, elle est votre paix intérieure.

2. Donnez ou recevez : c'est la même chose.
3. Il est possible de lâcher prise du présent et du futur car aucun évènement extérieur à vous ne doit vous faire perdre votre calme.

4. Mieux vaut remarquer ce que les gens vous apportent plutôt que leurs défauts.

5. Si un comportement vous semble insupportable, faites une demande claire et tranquille pour le changer.

6. Pardonnez ou oubliez, mais ne jugez pas.
7. Ne craignez pas votre propre fin : l'amour est plus fort que la mort.

SAMEDI 8 OCTOBRE	DIMANCHE 9 OCTOBRE
Sainte Pélagie	*Saint Denis* ☽

SEMAINE 40

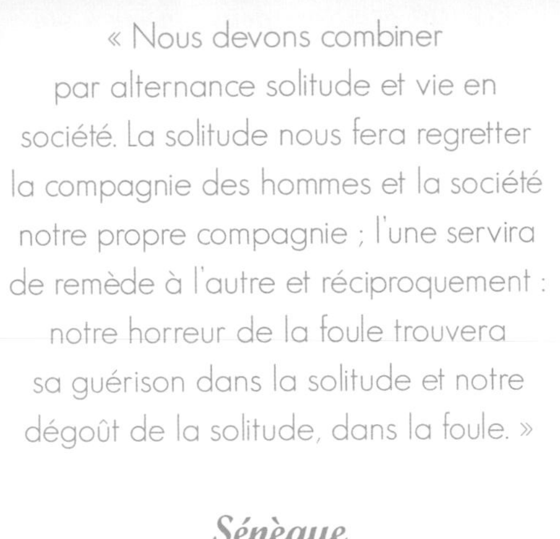

« Nous devons combiner
par alternance solitude et vie en
société. La solitude nous fera regretter
la compagnie des hommes et la société
notre propre compagnie ; l'une servira
de remède à l'autre et réciproquement :
notre horreur de la foule trouvera
sa guérison dans la solitude et notre
dégoût de la solitude, dans la foule. »

Sénèque

(vers 4 av. J.-C.-65 apr. J.-C.),
philosophe et homme d'État romain

LUNDI 10 OCTOBRE

Saint Ghislain / Thanksgiving (Canada)

SEMAINE 41

« Plus un homme possède en lui-même, moins il a besoin du monde extérieur. »

Arthur Schopenhauer

(1788-1860), philosophe allemand

MARDI 11 OCTOBRE

Saint Firmin

SEMAINE 41

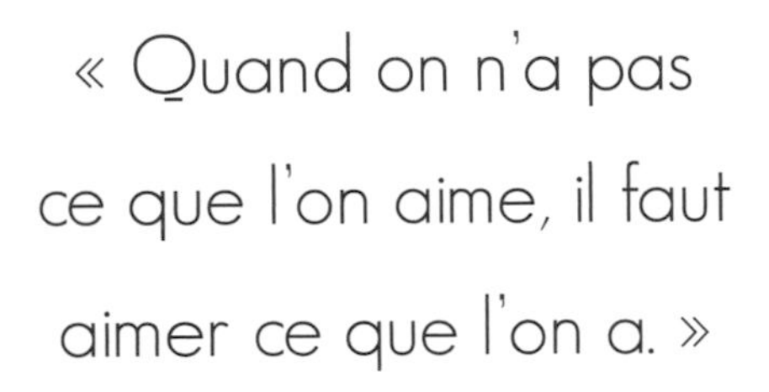

« Quand on n'a pas ce que l'on aime, il faut aimer ce que l'on a. »

Serge Gainsbourg

(1928-1991), auteur, compositeur et interprète français

MERCREDI 12 OCTOBRE

Saint Wilfried

SEMAINE 41

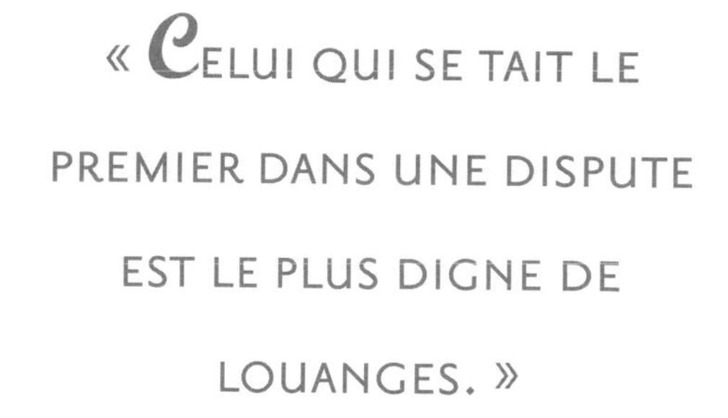

« Celui qui se tait le premier dans une dispute est le plus digne de louanges. »

Proverbe hébreu

JEUDI 13 OCTOBRE

Saint Géraud

SEMAINE 41

« Ne craignez pas d'être lent. Craignez d'être à l'arrêt. »

Proverbe chinois

VENDREDI 14 OCTOBRE

Saint Juste

SEMAINE 41

LA PORTE DE LA SÉRÉNITÉ A TROIS CADENAS

Pour l'ouvrir, il faut trouver les trois clés : celles du temps, de la sagesse et du pouvoir sur soi.
1. La première est cachée partout où vous oubliez d'exercer votre curiosité ;
2. La deuxième est cachée dans le livre que vous négligez de lire ;
3. La troisième se niche dans votre tête, lorsque vous oubliez de consacrer un peu de temps à la réflexion.

SAMEDI 15 OCTOBRE	DIMANCHE 16 OCTOBRE
Sainte Thérèse d'Avila	*Sainte Edwige* ☺

« Si tu acceptes les saisons
de ton cœur comme l'influence
des saisons sur tes champs,
tu accepteras avec sérénité
l'hiver de tes émotions. »

Khalil Gibran

(1883-1931), écrivain libanais

LUNDI 17 OCTOBRE

Saint Baudouin

SEMAINE 42

Pratiquez l'autosuggestion

Quand le besoin s'en fait sentir, répétez trois fois : « Il n'est pas au pouvoir de qui que ce soit de me mettre hors de moi ni de dévier le cours de mes pensées ».

MARDI 18 OCTOBRE

Saint Luc

SEMAINE 42

« Qui sait mourir n'a plus de maître. »

Sully Prudhomme

(1839-1907), poète français

MERCREDI 19 OCTOBRE

Saint René

SEMAINE 42

« La prière n'est pas faite pour nous faire entrer Dieu dans notre esprit. La prière est un moyen de nous offrir à Dieu afin qu'Il nous permette de nous réaliser pleinement. C'est pourquoi, dans la prière, mieux vaut écouter qu'implorer. »

William Barclay

(1907-1978), théologien et prédicateur écossais

JEUDI 20 OCTOBRE

Sainte Adeline

SEMAINE 42

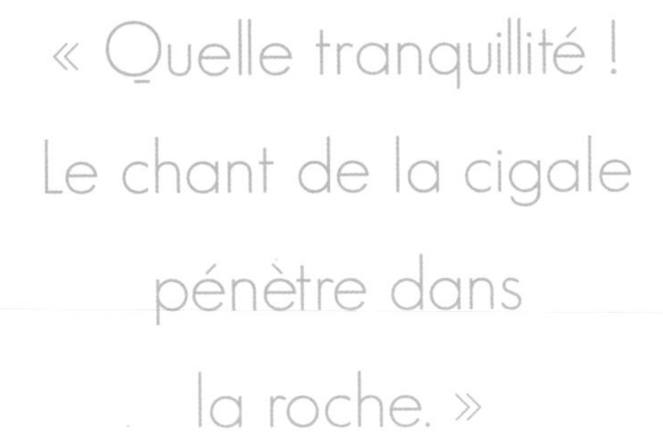

« Quelle tranquillité !
Le chant de la cigale
pénètre dans
la roche. »

Ikkyu Sojun

(1394-1481), poète japonais

VENDREDI 21 OCTOBRE

Sainte Céline

SEMAINE 42

La colère

est une force.

Le calme

est une force

supérieure.

SAMEDI 22 OCTOBRE	DIMANCHE 23 OCTOBRE
Sainte Élodie ☾	*Saint Jean de Capistran*

« Un homme est riche en proportion du nombre de choses dont il sait se passer. »

Henry David Thoreau

(1817-1862), écrivain américain

LUNDI 24 OCTOBRE

Saint Florentin

SEMAINE 43

« Si l'on m'apprenait que la fin du monde est pour demain, je planterais quand même un pommier. »

Martin Luther King

(1929-1968), pasteur noir américain, prix Nobel de la paix en 1964

MARDI 25 OCTOBRE

Saint Crépin

SEMAINE 43

« Je ne redoute pas la mort : elle est comme une naissance à l'envers. »

Jean Cocteau

(1889-1963), écrivain et cinéaste français

MERCREDI 26 OCTOBRE

Saint Dimitri

SEMAINE 43

« L'essentiel n'est pas de vivre, mais de bien vivre. »

Platon

(vers 427-347 av. J.-C.),

philosophe grec

JEUDI 27 OCTOBRE

Sainte Émeline

SEMAINE 43

« Le plus grand bonheur de l'homme qui réfléchit c'est, après avoir cherché à comprendre ce que l'on peut comprendre, d'adorer ce qui est incompréhensible. »

Johann Wolfgang von Goethe

(1749-1832), écrivain allemand

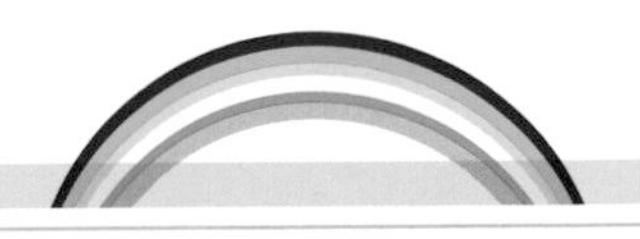

VENDREDI 28 OCTOBRE

Saints Simon et Jude

SEMAINE 43

« La bonne conscience
est à l'âme ce que la pleine santé
est à notre corps : elle maintient
notre allant et notre sérénité,
et prévient de toutes les calamités
et de toutes les afflictions que
le monde peut nous transmettre. »

Khalil Gibran

(1883-1931), écrivain libanais

SAMEDI 29 OCTOBRE	DIMANCHE 30 OCTOBRE
Saint Narcisse	*Sainte Bienvenue*

SEMAINE 43

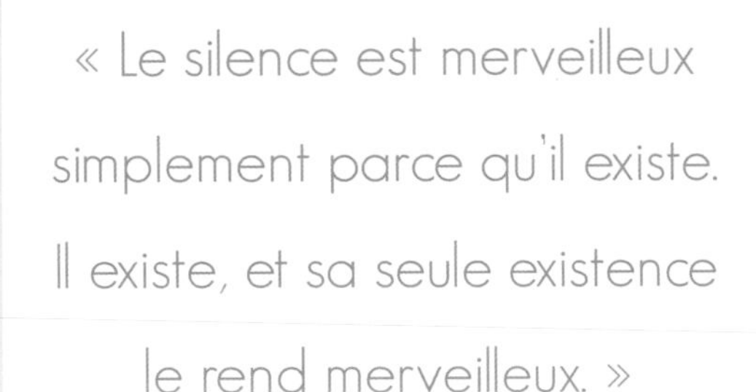

« Le silence est merveilleux simplement parce qu'il existe. Il existe, et sa seule existence le rend merveilleux. »

Max Picard

(1888-1965), théologien catholique suisse-allemand

LUNDI 31 OCTOBRE

Saint Quentin / Halloween

SEMAINE 44

« Une partie importante
de la sagesse et de la connaissance
consiste à ne plus vouloir transformer
les gens en ce qu'ils ne sont pas,
mais à accepter ce qu'ils sont. »

Sagesse chinoise

MARDI 1ER NOVEMBRE

Sainte Cassandre / Toussaint

SEMAINE 44

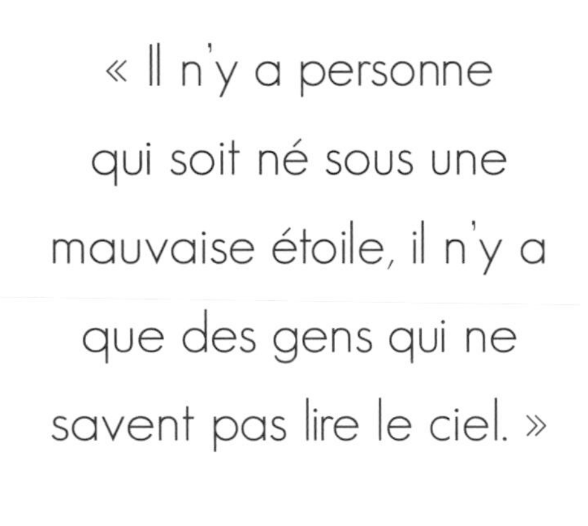

« Il n'y a personne qui soit né sous une mauvaise étoile, il n'y a que des gens qui ne savent pas lire le ciel. »

Tenzin Gyatso

(né en 1935), XIVe dalaï-lama

MERCREDI 2 NOVEMBRE

Saint Victorin / Défunts

SEMAINE 44

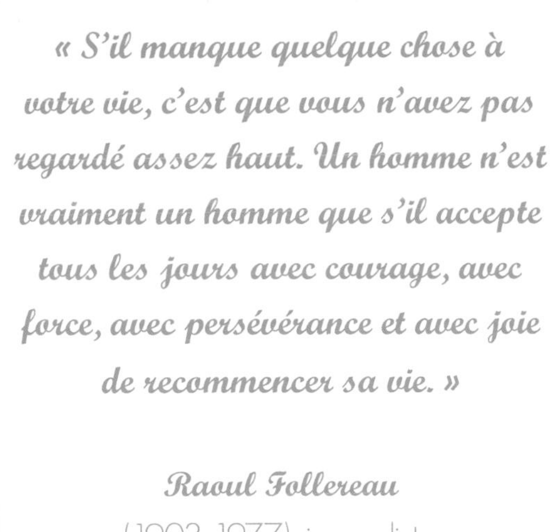

« S'il manque quelque chose à votre vie, c'est que vous n'avez pas regardé assez haut. Un homme n'est vraiment un homme que s'il accepte tous les jours avec courage, avec force, avec persévérance et avec joie de recommencer sa vie. »

Raoul Follereau

(1903-1977), journaliste français et créateur de la fondation éponyme contre la lèpre

JEUDI 3 NOVEMBRE

Saint Hubert

SEMAINE 44

« Lorsque nous n'avons nulle part où aller en dehors de nous-mêmes, nous entrons dans un total abandon. Alors la lumière commence à poindre. Alors que nous nous attendons à toucher le fond, nous débouchons par une trappe sur un nouveau monde lumineux. Nous avons redécouvert le monde de notre esprit. »

Shakti Gawain

(née en 1948), écrivaine américaine, spécialiste du développement personnel

VENDREDI 4 NOVEMBRE

Saint Charles

SEMAINE 44

N'accordez pas trop de pouvoir aux gens

L'illusion la plus répandue consiste à croire que les évènements extérieurs ont le pouvoir de nous faire du mal, que les gens ont le pouvoir de nous blesser. Ils n'ont pas ce pouvoir : c'est vous qui le leur donnez. Si vous êtes prête à entendre cela, c'est que vous êtes sur le chemin de la sérénité.

SAMEDI 5 NOVEMBRE	DIMANCHE 6 NOVEMBRE
Sainte Sylvie	*Saint Léonard*

« La paix commence à l'intérieur. Elle est là au fond de chaque âme, comme une minuscule graine qui attend de germer, pousser et prospérer. Il faut lui donner les bonnes conditions, le bon environnement et le bon traitement avant qu'elle ne puisse germer. Sois calme et crée les bonnes conditions. Sois calme et donne-lui une chance de prendre racine. »

Eileen Caddy

(1917-2006), femme de lettres américaine

LUNDI 7 NOVEMBRE

Sainte Carine

SEMAINE 45

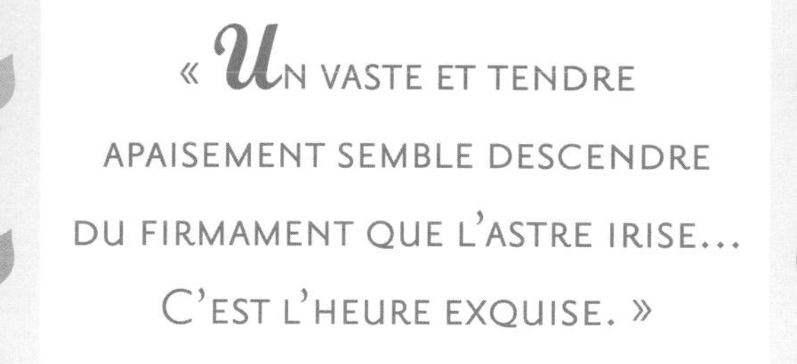

« UN VASTE ET TENDRE
APAISEMENT SEMBLE DESCENDRE
DU FIRMAMENT QUE L'ASTRE IRISE...
C'EST L'HEURE EXQUISE. »

Paul Verlaine

(1844-1896), poète français

MARDI 8 NOVEMBRE

Saint Geoffroy

SEMAINE 45

« Rien ne sert d'aimer nos richesses puisque nous ne les emporterons pas avec nous. Nous sommes nés sans bagages et nous mourrons sans. »

Proverbe chinois

MERCREDI 9 NOVEMBRE

Saint Théodore

SEMAINE 45

« Combien de joies ne voyons-nous pas à nos pieds quand notre regard est perdu dans les nuages ? »

Katharina Elisabeth Goethe
(1731-1808),
femme de lettres allemande

JEUDI 10 NOVEMBRE

Saint Léon

SEMAINE 45

« L'acceptation devient le moyen
le plus rapide et le plus pratique
de se libérer d'une situation difficile,
alors que la révolte en resserre
inexorablement le nœud. »

Piero Ferrucci

(né en 1946), psychothérapeute
et philosophe italien

VENDREDI 11 NOVEMBRE

Armistice de 1918

SEMAINE 45

Penser la sérénité, c'est l'acquérir

Ce que nous pensons détermine ce que nous disons. Ce que nous disons détermine ce que nous faisons. La pensée positive consiste à chasser la négativité qui ne nous permet jamais de récolter avec sérénité le fruit de nos actions. Pour une raison simple : quelle que soit la situation, il y a toujours matière à voir les choses négativement !

SAMEDI 12 NOVEMBRE	DIMANCHE 13 NOVEMBRE
Saint Christian	*Saint Brice*

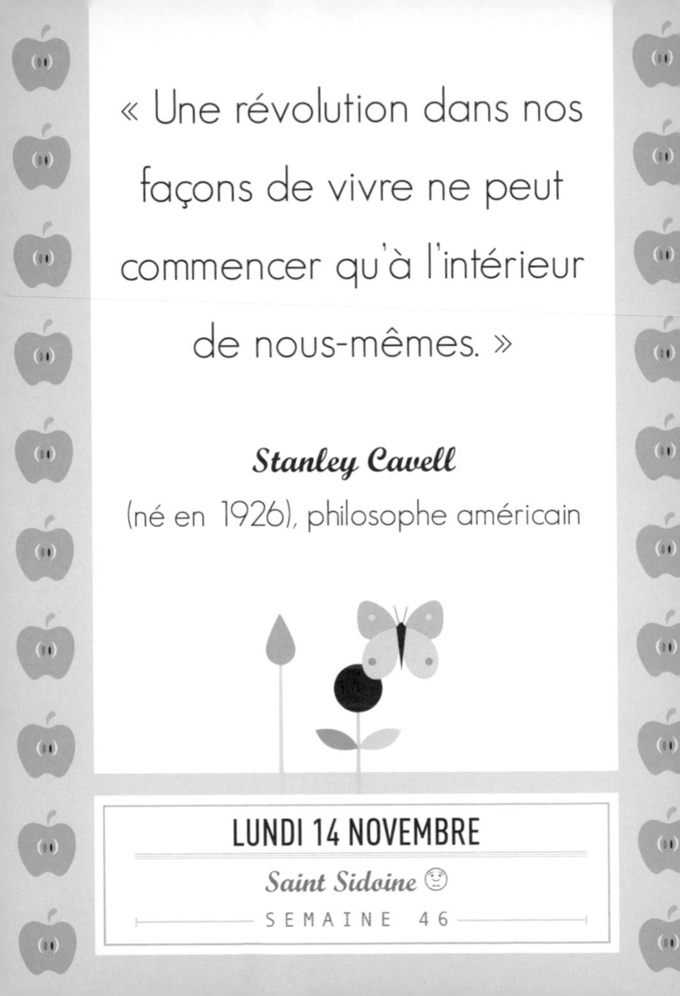

« Une révolution dans nos façons de vivre ne peut commencer qu'à l'intérieur de nous-mêmes. »

Stanley Cavell

(né en 1926), philosophe américain

LUNDI 14 NOVEMBRE

Saint Sidoine

SEMAINE 46

« COMMENCEZ PAR NE PAS VOUS EN VOULOIR À VOUS-MÊME ! »

Gotthold Lessing

(1729-1781), écrivain allemand

MARDI 15 NOVEMBRE

Saint Albert

SEMAINE 46

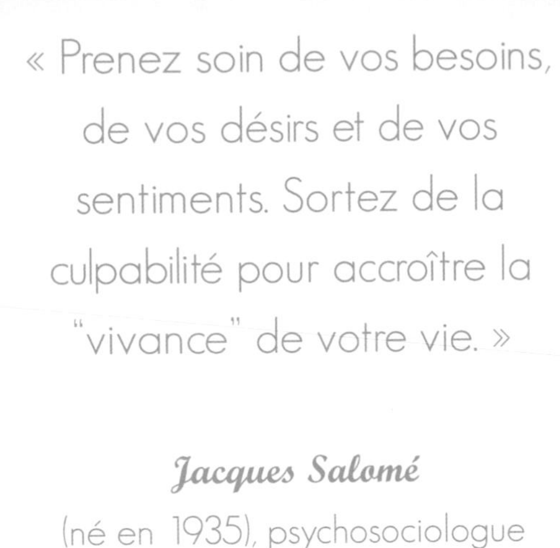

« Prenez soin de vos besoins, de vos désirs et de vos sentiments. Sortez de la culpabilité pour accroître la "vivance" de votre vie. »

Jacques Salomé

(né en 1935), psychosociologue et écrivain français

MERCREDI 16 NOVEMBRE

Sainte Marguerite

SEMAINE 46

« Les défauts sont épais là où l'amour est mince. »

Proverbe russe

JEUDI 17 NOVEMBRE

Sainte Élisabeth

SEMAINE 46

« Hâtez-vous lentement. »

Auguste

(63 av. J.-C.- 14 apr. J.-C.), à ses généraux, empereur romain

VENDREDI 18 NOVEMBRE

Sainte Aude

SEMAINE 46

« QUAND UN HOMME ORDINAIRE ATTEINT LE SAVOIR, IL EST SAGE. QUAND UN SAGE ATTEINT LA COMPRÉHENSION, IL EST UN HOMME ORDINAIRE. »

Proverbe zen

JEUDI 24 NOVEMBRE

Sainte Flora / Thanksgiving (États-Unis)

SEMAINE 47

« L 'équilibre est l'état parfait de l'eau tranquille. Prenez cela en modèle. Elle reste calme à l'intérieur et n'est pas perturbée en surface. »

Confucius

(v. 551-479 av. J.-C.),

philosophe chinois

VENDREDI 25 NOVEMBRE

Sainte Catherine / Fête des Célibataires

SEMAINE 47

Bannissez les mots barbelés

La parole est le phare de notre esprit. Devant une situation de stress, les « mots barbelés », comme « il y a un souci » ou « ils m'empêchent », agissent comme une justification de l'échec. Remplacez-les par des affirmations, prenez l'habitude d'imaginer la solution avant de stigmatiser le problème. Cela vous fera gagner en sérénité.

SAMEDI 26 NOVEMBRE	DIMANCHE 27 NOVEMBRE
Sainte Delphine	*Saint Séverin* *Avent*

« J'affirme avec audace
ma foi dans l'avenir de l'humanité. [...]
Je refuse de partager l'avis de
ceux qui prétendent que l'homme
est à ce point captif de la nuit sans
étoiles du racisme et de la guerre,
que l'aurore radieuse de la paix
et de la fraternité ne pourra jamais
devenir réalité. »

(1929-1968), pasteur noir américain,
prix Nobel de la paix en 1964

LUNDI 28 NOVEMBRE

Saint Jacques de la Marche

SEMAINE 48

« IL Y A BEAUCOUP DE GENS QUI VIVENT TROP DANS LE PRÉSENT : CE SONT LES FRIVOLES ; D'AUTRES, TROP DANS L'AVENIR : CE SONT LES CRAINTIFS ET LES INQUIETS. ON GARDE RAREMENT LA JUSTE MESURE. [...] QUOI DE PLUS INSENSÉ QUE DE REPOUSSER UNE BONNE HEURE PRÉSENTE OU DE SE LA GÂTER DÉLIBÉRÉMENT PAR INQUIÉTUDE DE L'AVENIR OU PAR CHAGRIN DU PASSÉ ! »

Arthur Schopenhauer
(1788-1860), philosophe allemand

MARDI 29 NOVEMBRE

Saint Saturnin

SEMAINE 48

« Si l'on bâtissait la maison du bonheur, la plus grande pièce serait la salle d'attente. »

Jules Renard

(1864-1910), écrivain français

MERCREDI 30 NOVEMBRE

Saint André

SEMAINE 48

« Les choses

ne changent pas.

Tu changes ta façon

de regarder, c'est tout. »

Carlos Castaneda

(1925-1998),

anthropologue américain

JEUDI 1ER DÉCEMBRE

Sainte Florence

SEMAINE 48

« Le vrai bonheur
ne dépend d'aucun être,
d'aucun objet extérieur. Il ne
dépend que de nous. »

Tenzin Gyatso

(né en 1935), XIVe dalaï-lama

VENDREDI 2 DÉCEMBRE

Sainte Viviane

SEMAINE 48

Raccourcissez votre vie

Faites une expérience philosophique radicale : imaginez que votre vie ne dure… qu'une seule semaine. Il y a fort à parier que vos priorités changeraient ! Cette expérience fictive a pour but de vous reconnecter avec le réel. Elle constitue une prise de conscience de l'urgence à vivre sereinement ses rêves au lieu de continuer à rêver sa vie.

SAMEDI 3 DÉCEMBRE	DIMANCHE 4 DÉCEMBRE
Saint Xavier	*Sainte Barbara*

« Le plus beau cadeau
que puisse offrir
une femme à un homme,
c'est la tranquillité. »

Helen Fielding

(née en 1958), journaliste britannique,
auteure du *Journal de Bridget Jones*

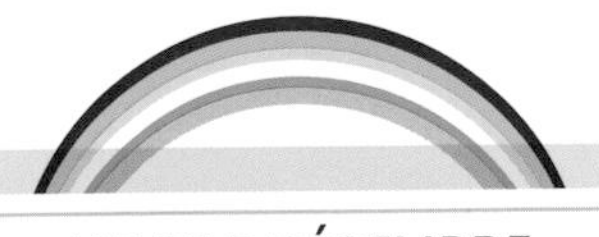

LUNDI 5 DÉCEMBRE

Saint Gérald

SEMAINE 49

« Le bonheur, c'est d'être heureux, ce n'est pas de faire croire aux autres qu'on l'est. »

Jules Renard

(1864-1910), écrivain français

MARDI 6 DÉCEMBRE

Saint Nicolas

SEMAINE 49

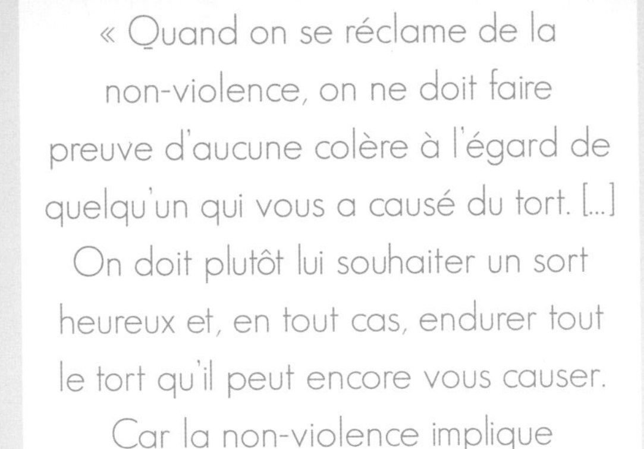

« Quand on se réclame de la non-violence, on ne doit faire preuve d'aucune colère à l'égard de quelqu'un qui vous a causé du tort. [...] On doit plutôt lui souhaiter un sort heureux et, en tout cas, endurer tout le tort qu'il peut encore vous causer. Car la non-violence implique une totale innocence. »

Gandhi

(1869-1948), dirigeant politique et spirituel indien

MERCREDI 7 DÉCEMBRE

Saint Ambroise

SEMAINE 49

« Il n'y a point de chemin vers le bonheur, le bonheur est le chemin. »

Lao-Tseu

(VIe-Ve s. av. J.-C.),

philosophe taoïste chinois

JEUDI 8 DÉCEMBRE

Saint Hildeman / Immaculée Conception

SEMAINE 49

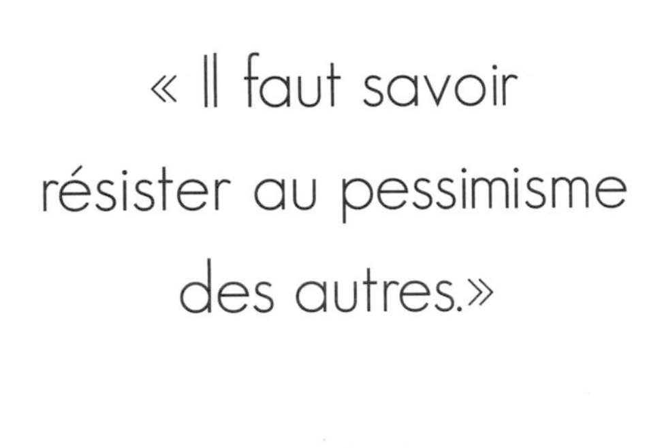

Guy Bedos

(né en 1934), humoriste
et acteur français

VENDREDI 9 DÉCEMBRE

Saint Pierre Fourier

SEMAINE 49

Allumez un feu de cheminée

Tout concourt à apaiser la personne qui fait du feu : la chaleur maternelle des flammes, la lumière douce qu'elles dégagent, les crépitements réguliers qui meublent le silence, les flammèches et tisons qui volent comme un feu d'artifice. Le foyer apporte la sérénité d'un rituel séculaire : dans chaque feu, l'être humain reconnaît son humanité.

Voltaire

(1694-1778), écrivain
et philosophe français

LUNDI 12 DÉCEMBRE

Saint Corentin

SEMAINE 50

« Hors la société,

il ne me manquait rien

pour être parfaitement

heureux. »

Daniel Defoe

(vers 1660-1731), écrivain anglais,

auteur de *Robinson Crusoé*

MARDI 13 DÉCEMBRE

Sainte Lucie

SEMAINE 50

« Dans la rosée
des petites choses,
le cœur trouve son matin
et se rafraîchit. »

Khalil Gibran

(1883-1931), écrivain libanais

MERCREDI 14 DÉCEMBRE

Sainte Odile ☺

SEMAINE 50

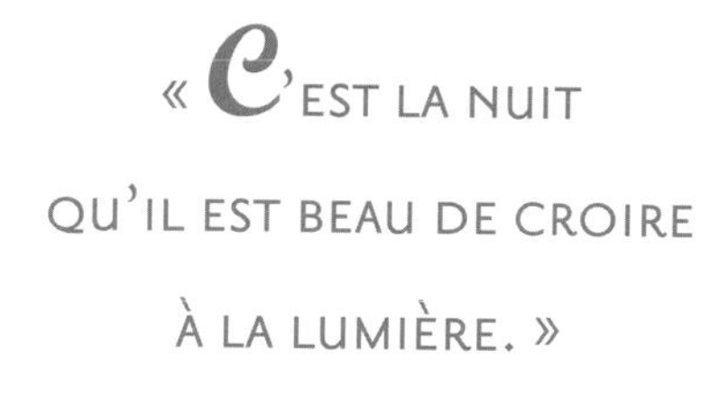

« C'EST LA NUIT
QU'IL EST BEAU DE CROIRE
À LA LUMIÈRE. »

Edmond Rostand

(1868-1918), auteur français

JEUDI 15 DÉCEMBRE

Sainte Ninon

SEMAINE 50

« Tout notre savoir-faire se réduit à ceci : renoncer à notre existence afin d'exister. »

Johann Wolfgang von Goethe

(1749-1832), écrivain allemand

VENDREDI 16 DÉCEMBRE

Sainte Alice

SEMAINE 50

Retrouvez la mer

La mer est notre mère.
Le battement de son cœur
nous berce, la beauté de sa robe
nous fascine et le murmure de son
ressac nous calme. Mais la sérénité
qui nous envahit devant elle nous
est donnée par sa permanence.
L'une des « mers » de la Lune – un
immense cratère – a même été baptisée
la mer de la Sérénité.

SAMEDI 17 DÉCEMBRE	DIMANCHE 18 DÉCEMBRE
Saint Gaël	*Saint Gatien*

SEMAINE 50

« Heureux celui qui retrouve le soir le foyer domestique, et s'y assied au milieu des siens. »

Félicité de Lamennais

(1782-1854), écrivain et philosophe français

LUNDI 19 DÉCEMBRE

Saint Urbain

SEMAINE 51

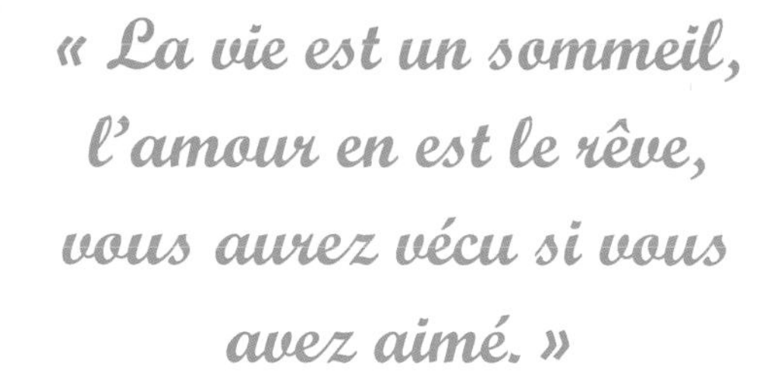

« La vie est un sommeil, l'amour en est le rêve, vous aurez vécu si vous avez aimé. »

Alfred de Musset

(1810-1857), auteur français

MARDI 20 DÉCEMBRE

Saint Théophile

SEMAINE 51

« La connaissance parle, mais la sagesse écoute. »

Jimi Hendrix

(1942-1970), guitariste et chanteur américain

MERCREDI 21 DÉCEMBRE

Saint Pierre Canisius / Hiver

SEMAINE 51

« Un bon archer atteint sa cible avant même d'avoir tiré. »

Zhao Buzhi

(1053-1110), philosophe chinois

JEUDI 22 DÉCEMBRE

Sainte Françoise-Xavière

SEMAINE 51

« L'Univers

est mon esprit,

mon esprit

est l'Univers. »

Lu Kiu-Yuan

(1139-vers 1200), philosophe chinois

VENDREDI 23 DÉCEMBRE

Saint Armand

SEMAINE 51

Recherchez la vérité

La vérité est la seule chose susceptible d'apporter aux hommes la sérénité, même si elle doit accoucher dans la violence ou le conflit. Cervantès, le père de *Don Quichotte*, définit son héros comme un « combattant de la vérité ». Devenez ce combattant, quoi qu'il vous en coûte.

SAMEDI 24 DÉCEMBRE

Sainte Adèle

DIMANCHE 25 DÉCEMBRE

Saint Emmanuel

Noël

SEMAINE 51

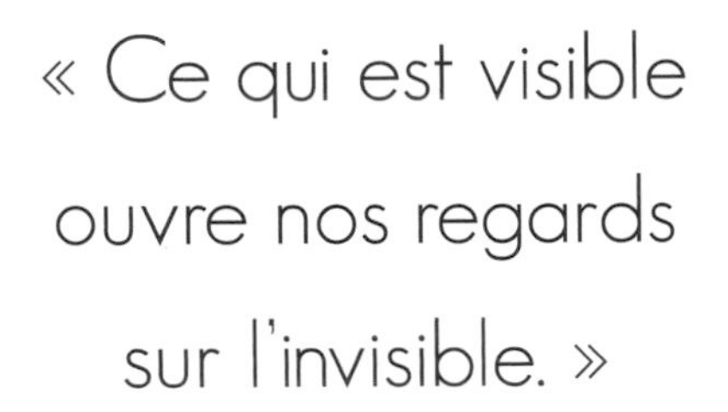

« Ce qui est visible
ouvre nos regards
sur l'invisible. »

Anaxagore

(vers 500-428 av. J.-C.), philosophe grec

LUNDI 26 DÉCEMBRE

Saint Étienne

SEMAINE 52

Proverbe turc

MARDI 27 DÉCEMBRE

Saint Jean

SEMAINE 52

« Lorsque quelqu'un te blesse, tu devrais l'écrire sur le sable afin que le vent l'efface de ta mémoire, mais lorsque quelqu'un fait quelque chose de bon pour toi, tu dois l'écrire sur la pierre afin que le vent ne l'efface jamais. »

Proverbe touareg

MERCREDI 28 DÉCEMBRE

Saints Innocents

SEMAINE 52

« Le voleur
m'a tout emporté,
sauf la lune qui était
à ma fenêtre. »

Taigu Ryokan

(1758-1831), religieux et poète japonais

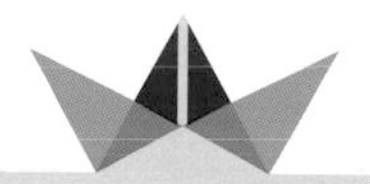

JEUDI 29 DÉCEMBRE

Saint David

SEMAINE 52

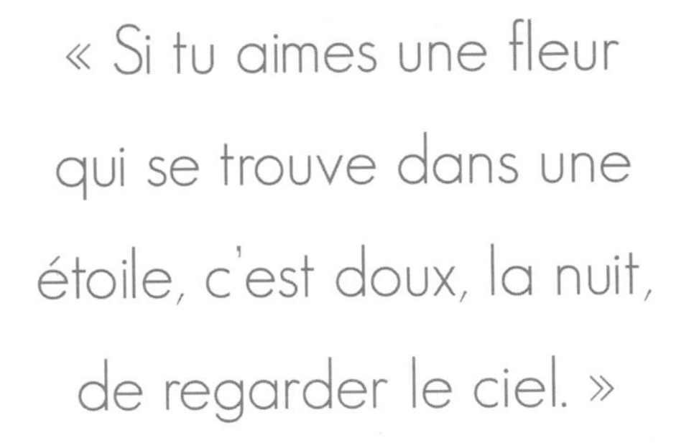

« Si tu aimes une fleur qui se trouve dans une étoile, c'est doux, la nuit, de regarder le ciel. »

Antoine de Saint-Exupéry

(1900-1944), aviateur et écrivain français

VENDREDI 30 DÉCEMBRE

Saint Roger

SEMAINE 52

Calmez-vous avec le bouddha

Comme les bouddhistes, cultivez la sérénité en vous exerçant à atteindre l'état de « vacuité mentale » :

1. Calmez votre respiration en inspirant profondément huit fois de suite.
2. Utilisez votre respiration pour détendre votre corps.
3. Observez ensuite avec détachement les pensées et les émotions qui vous traversent.
4. Soyez consciente que vos pensées sont produites par votre inconscient.

SAMEDI 31 DÉCEMBRE	DIMANCHE 1ER JANVIER
Saint Sylvestre	*Jour de l'An*

SEMAINE 52

Découvrez les autres titres de la collection

ISBN : 978-2-35155-718-1
Imprimé en Chine en juin 2015.
Dépôt légal septembre 2015.

www.editions365.com
Diffusion Hatier. Distribution Hachette.